성미산마을이 생겨난 원리와 경험

마을은 처음이라서

성미산마을이 생겨난 원리의 경험

마을은
처음이라서

위성남 지음

작은나무

책숲

차례

1996년 4월에 서울 마포구 서교동으로 이사했다. 안양시 평촌에 있는 아파트 단지에서 신혼 생활을 한 지 3년 만의 일이었다. 이때는 잡지사에서 편집장 노릇을 하면서 생계를 유지했다.

1999년 8월, 마침내 기다리던 아이가 태어났다. "너, 어디 있다 이제 왔니!" 요게 딱 맞는 느낌이다. 아이는 부모가 생산하는 게 아니라 삼신할미의 점지를 받아야 된다는 게 느낌상으로는 상당히 설득력 있는 이야기다.

1999년도에 태어난 아이가 2001년 가을 드디어 구립 어린이집에 다니기 시작했다. 물론 아이를 낳고 기르고, 어린이집에 보낸 주체는 내가 아닌 아내였던 것은 분명하다. 그저 아이 아빠로서의 남들 하는 것만큼 하는 정도, 그 이상도 이하도 아니었다.

그런데 아이가 구립 어린이집에 다니는 게 그리 즐겁지 않은 듯

했다. 어린이집에 등원할 때의 자지러지는 울음, 어린이집에서 찍어서 보낸 사진 속 우울한 표정, 그리고 크고 작은 트러블들…. 아내는 결국 4개월 만에 아이를 어린이집에서 퇴원시켰다. 그 과정에서도 나는 아무런 역할을 하지 않았다. 이때부터 30개월이 채 안 된 아이를 집에서 어떻게든 돌봐야 했다.

2001년 11월쯤이었나, 평소 알고 지내던 선배로부터 연락이 왔다. '동네(이때는 '성미산마을'이라 하지 않았다!)'에서 대안학교를 모색하는 모임이 있는데, 한번 나와 보라는 것이었다. 내가 대안학교에 대해 떠들어대던 것을 기억하고 있었지 않나 싶다.

내 기억에 화교가 운영하는 중국음식점인 '조가방(요리가 굉장히 맛있는 집이었다.)'에서 거의 남자들만 우글거리는 모임을 가졌고, 고량주로 인해 대취했다는 기억만이 남아 있다. 이런 모임이 두세 차례 진행되었고, 그 무렵 아이를 공동육아 어린이집에 보내야 하는데 빈자리가 없어 고민이라는 말을 했던 것 같다. 사실 이때 아내가 동네에 있는 공동육아 어린이집 두 군데(우리어린이집과 날으는어린이집)에 대기자 신청을 이미 해놓은 상태였다.

"그러면 어린이집을 새로 만들어요!"

기억하기로는 상호 아빠(박명협)였을 것이다. 엥? 이게 무슨 소린가? 어린이집을 새로 만들다니! 이야기인즉슨 어린이집은 협동조합

이므로 새로 만들 수도 있다는 말이었다. 갑자기 머릿속이 환해졌다. 아, 그럴 수도 있구나! 어린이집을 새로 만들 수도 있는 거로구나! 그러고 나서 아내에게 이 기가 막힌 이야기를 전했다.

그래, 어린이집을 한번 만들어보자고! 2~3개월 정도 시간이 흘렀다. 그동안 나는 계속해서 어린이집을 만들자는 이야기만 떠들어댔다. 구체적으로 무엇을 어떻게 해야 할지도 모르면서. 아내는 언제나처럼 용감했다. 설레발만 치는 나와는 달리 이리저리 전화를 하더니 어린이집 대기자 명단을 획득했다. 대기자들에게 전화를 했더니 그중 세 가구가 새로운 어린이집을 만드는 데 관심을 보였다. 2002년 3월 셋째 주인가 넷째 주인가 토요일에 그들을 만났다. 우리를 포함하여 모두 네 가구였다. 그로부터 6개월 뒤인 9월 28일에 어린이집 개원식을 했다. 나는 '공동육아협동조합 참나무어린이집' 초대 이사장을 맡았다. 일은 아내가 하고 명예는 남편이 차지한 셈인가.

2003년 2월 하순으로 기억한다. 성미산에 배수지를 만들겠다는 서울시상수도사업본부의 추진 계획에 반대하며 성미산 꼭대기에서 천막 농성을 진행하던 때였다. 낮에는 주로 여성들이 자리를 지키고, 밤에는 남성들이 철야로 자리를 지켰다. 같은 어린이집 조합원이었던 곽석희(재서 아빠)와 소주를 마시면서 이런저런 이야기 끝에 동네에 대안학교를 만들어보자 제안했다. 그런데 이 양반이 맞장구를 치는 게 아닌가! 굉장한 관심을 보이면서 함께 추진해보자는 것이었다. 이렇게 해서 2001년 조가방에서 고량주만 마셔댔던 멤버들도 다시 만나고, 여기저기 대안학교 이야기를 하고 다니다가 5월 10일 드디어 첫 모임을 가졌다. 모두 열한 명이었다. 이로부터 1년 4개월 뒤인 2004년 9월에 성미산학교가 문을 열었다.

이것이 내가 성미산마을에 '접속'하게 된 개략적 과정이다. 이렇듯 참나무어린이집과 성미산학교를 초기에 추진했다는 것을 계기로 해서 나도 모르게 마을의 중심인물이 되어버렸다. 2006년 이후 3년 동안은 개인 생업이었던 출판사 운영에 몰입했다. 마을에는 그냥 최소한으로만 개입했다.

2009년 1월 어느 날, (사)사람과마을(이후 '사람과 마을')에서 회의에 참석해달라고 요청했다. 그런데 이 자리는 사실상 사람과마을을 새롭게 이끌어갈 담당자를 선정하는 자리였다. 유창복(짱가)과 이경란(올리브), 구교선(참깨)이 추천하고, 이 회의에 참석한 몇몇 여성들의 동의를 거쳐 갑자기 운영위원장이 되어버렸다. 운영위원장이란 실질적인 사람과마을 대표 역할을 수행하는 것이었다. 처음에 6개월만 하고 물러나기로 약속하고 출발했던 운영위원장을 무려 4년 동안 수행했다. 그 과정에서 성미산마을을 대표하게 되었고, 많은 일들을 겪었다. 2009년부터는 마을 방문자들이 급증하기 시작했고, 결국 '마을 안내팀'을 꾸려서 이를 전담하지 않으면 안 되었다. 마을을 방문한 사람들은 당연히 여러 가지 질문을 던진다.

"마을을 어떻게 만들었는가?"

"그 많은 비용을 어떻게 충당했나?"

"마을 구성원이 몇 명인가?"

잘못된 질문에도 답은 해야 한다. 그런데 어떻게 설명해야 하나? 아니, 나는 마을을 어떻게 인식하고 있나? 내가 기억하기로 성미산마을을 처음부터 기획한 사람은 사실 아무도 없었다. 2004년인가 2005년에 유창복과 이야기를 나누었던 게 기억난다. 아마 이랬을 것이다.

"어느 날 갑자기 뒤를 돌아보니, 우리가 걸어왔던 길이 만만한 게 아니라는 걸 발견하게 됐어. 이걸 마을이라고 해야 하지 않나?"

'성미산마을' 이름의 유래는 이러하다. 2001년 5월 1일자 『한겨레신문』에 기사가 났다. "더불어 만들고 함께 노는 마을 축제로"라는 제목의 기사에서 '성미산마을'이라는 낱말을 처음 사용한 사람은 다름 아닌 『한겨레신문』의 홍대선 기자였다. 마을 이름을 우리 스스로가 작명한 게 아니라, 일간지 기자가 붙여준 것이다. 그 기자는 왜 성미산마을이라고 이름을 붙였을까? 좀 웃기지 않은가 말이다. 인구 1,000만 명의 대도시 서울에서 무슨 '마을'인가? 이게 무슨 신도시에 있는 아파트 단지 이름도 아니고. 어쩌면 도시에서 대안을, 일상에서 희망을 꿈꾸고 있던 도시인들의 염원을 그렇게 이름으로 투영해본 게 아니었을까?

지금까지 성미산마을에 대한 소개가 단행본으로도 출간되었고, 박사 논문과 석사 논문으로도 몇 편 쓰여졌다. 다큐멘터리 영화도 한 편 만들어졌고, 여러 편의 방송 프로그램으로도 제작되어 방영되었다. 포털 사이트에서는 성미산마을에 관한 무수히 많은 정보가 검색된다. 그러나 성미산마을이 어떻게 해서 형성되었는지, 그 과정에서 여러 생각들의 흐름은 어떠했는지에 대해 명쾌하게 다룬 적은 없다. 오늘날의 성미산마을은 각종 아이디어의 실험장이며, 도시 커뮤니티 운동의 전형적인 사례이고, 아직도 연구해야 할 주제들이 널려 있는 보고(寶庫)이다.

가장 중요한 것은 이 모든 일들이 현재진행형이라는 점이다. 성미산마을은 앞으로 소멸하지 않을 것이며, 실패하지도 않을 것이고, 더구나 성공하지도 않을 것이다. 그것은 그 자체로 새로운 욕망을 수용하며, 그에 따라 새로운 세대가 등장하고, 새로운 이슈가 제기될 것이며, 끊임없이 변화할 것이다.

이 책은 성미산마을의 형성 원리를 찾아보고 당시의 구성원 당사자들의 여러 가지 생각들을 추적해보는 것에 초점을 맞추고 있다. 따라서 2010년 이후의 경험에 대해서는 깊이 다루지 않았다. 그것은

나의 몫이 아니라고 생각한다.

어쨌든 성미산마을에 접속한 지 10여 년이 훌쩍 지난 지금, 수많은 질문을 받고 답변을 해야 하는 처지에 있다. 나도 모르게 '설명에 대한 책임의 의무'를 수행해야 하는데, 솔직히 논리가 달린다. 이는 학문적으로 많이 알고 있지 못하다는 것이며, 개념적으로 설명하는 능력이 부족하다는 것이다. 이 점은 거의 모든 현장 활동가들이 가지고 있는 한계일 것이다. 모든 설명은 기존의 개념어를 사용할 수밖에 없다. 기존의 개념어가 없으면 설명자가 새로운 개념어를 만들어서라도 사용해야 한다. 그러나 내가 사용할 수 있는 방법은 내 스스로 직접 경험했거나, 아니면 주변에서 간접 경험한 내용을 나의 투박한 언어로 설명하는 것뿐이다. 그렇기 때문에 다소 낯설고 이해하기 어려울 수 있다.

2014년부터 준비한 책을 이제야 출간하게 되었다. '설명에 대한 책임'을 완수할 수 있을지에 대한 주저함도 있었고, 반대로 책임을 져야 한다는 강박감도 있었다. 아무도 몰랐던 성미산마을의 전사(前史)를 발굴했다는 자부심도 있지만 굵직굵직한 고비마다 내가 모든 일의 중심에 있던 것만은 아니었기에 평가에도 한계가 있다. 혹시나 부족한 설명 때문에, 또는 과도한 설명 때문에 불편해하는 사람이 있을지 모른다는 점이 가장 우려스럽다.

특히 매 시기마다 특별한 역할을 수행했던 인물들에 대해 모두 언급할 수 없는 점이 마음에 걸린다. 그중에서도 구교선(2000~2012년까지 상무이사를 맡았다.)에 대해 자세히 언급하지 못한 점은 가장 큰 오류이다. 2001년 성미산 지키기 운동을 초기에 과감하게 이끌어낸 장본인이었고, 생협이 연 매출 60억대로 성장하기까지 실질적으로 리더십을 발휘했다. 안타깝게도 인터뷰를 진행하지 못한 나의 잘못이다. 그럼에도 성미산마을 전체 역사 속에서 처음부터 끝까지 모든 과정을 주도한 인물은 없다. 특정 시기에 특정 주제와 영역에 한정해서 열정을 가지고 힘을 쏟았던 사람들이 있을 뿐이다. 내가 알고 있는 사람도 있고, 알지 못하는 사람도 있으며, 기억이 헷갈리는 사람도 있다. 그러나 이 책에 모두를 담을 수 없었고, 그럴 능력도 사실 없다. 단지 각 장의 주제와 관련된 몇 사람을 언급하고 있다. 다음에는 누군가가 성미산마을 인물 평전을 다루는 것도 재미있을 것이다. 이름이 거론되지 않은 모든 이들에게 사과하며 양해를 부탁한다.

2018년 2월
위성남

chapter

1

정착, 1994년

최초의 낯선 길을 간 이들은 과연 누구인가?
하늘 아래 새것은 없고 무엇이든 맥락 없이
갑자기 생겨나지 않는다.
우리가 사는 삶의 터전 자체가 변하지 않는다면,
그 속에서 살아가는, 그리고 살아갈 사람들이 함께 호흡하지 못한다면
좁은 공간에서 짧은 시간 동안 이루어지는
아이들의 보육은 생명력을 잃고 만다는 결론에 도달했다.
진정으로 우리가 터를 잡아야 할 공간은
작은 어린이집 공간을 넘어, 바로 '지역'이었다.

협동조합 어린이집

1994년 9월 3일, 한국에서 처음으로 협동조합 방식의 공동육아 어린이집이 문을 열었다. 정식 명칭은 '신촌 공동육아협동조합 우리어린이집'이다. 통상 어린이집은 설립 방식에 따라 크게 두 가지로 나뉘는데, 하나는 행정에서 공적 자금을 투여하여 만든 공립 형태이고 다른 하나는 개인이나 법인이 자기 자본을 투자하여 만든 사립 형태이다. 여기에 학부모들이 자본을 직접 출자하여 만든 협동조합 방식이 새롭게 등장한 것이다. 즉, 조합원들의 출자금을 모은 목돈으로 전셋집을 구한 다음, 보육교사를 채용하여 조합원이 직접 어린이집을 운영하는 방식이다.

당시 신촌 우리어린이집의 초기 조합원은 35가구였으며 아이들은 40명 정도였다. 가구당 출자금이 300만 원이었으므로 대략 1억 원이 넘는 돈이 모아졌다. 그러나 돈만 있으면 어린이집을 뚝딱뚝딱 만들 수 있는 게 아니다. 협동조합이기 때문에 조직을 갖추는 게 우선이었다. 무릇 조직이란 무슨 일을 해야 할지를 규정하거나 조직 운영 원칙을 명문화한 '정관'이 있어야 하며, 필요한 재원을 마련하는 방안과 상근해서 일을 보는 사람을 정해야 한다.

조합원이 35가구이면 부부 합산해서 대략 70명 가까이가 개별 조합원이 된다. 이 말은 어린이집의 주인이 70명이라는 뜻이다. 주인이 많으니 서로 협력하여 큰 힘이 생길 것이라며 긍정적이고 아름답게 바라볼 수도 있겠지만, 현실은 언제나 끔찍하다. 말(言)들이 사람들 사이로 흘러다닐 것이며 끼리끼리 패거리가 형성되지 않으리라고 장담할 수 없다.

지금 시점에서 추정해보건대, 아마도 한국 최초라는, 그 누구도 가지 않는 길을 간다는 설렘과 자부심으로 그 모든 불안과 우려를 과감히 뛰어넘지 않았을까 싶다. 어쨌든 조합원들을 모으고, 교육하고, 조직을 구성하며, 어린이집을 직접 설립하는 모든 과정이 대략 10개월 정도 걸렸다.

최초의 낯선 길을 가는 이들은 과연 누구였을까? 1993년 가을쯤, 좀 더 구체적으로 11월경이었을 거라고 이경란은 기억하고 있다. 공동육아연구회에서 '바깥나들이, 양성평등적인 육아, 친환경, 협동조합형으로 어린이집 설립' 등을 주요 키워드로 하는 학습 모임을 제안하는 기사가 『한겨레신문』에 게재되었다(안타깝게도 기사를 찾을 수가 없다). 이 기사를 보고서 모인 이들이 서울시 서대문구에 있었던 '또하나의문화' 사무실 공간에서 공부 모임을 진행하였다.

이 공부 모임에 참석한 사람들은 연구자들이 아니라 공동육아에 관심이 많은 부모들이자, 주로 마포와 신촌에 있는 30대 직장인 여성들(대학 강사, 신문기자, 방송작가, 출판사 직원 등 10여 명)이었으며, 이른바 '386세대'들이었다. 당시에는 보육을 가정에서 엄마가 전담하는 것이 매우 당연하게 여겨지던 때였다. 직장을 가진 여성들은 '모성'이 부족하다는 말도 안 되는 비난에 시달리던, 대단히 곤란한 상황에 처해 있었다. 오늘날에는 쉽게 이해할 수 없는 진지함으로 무장되었던 '386세대'는 공동육아에서 이러한 난관을 돌파하는 길을 찾았다고 볼 수 있다.

한편 이 모임을 제안하고 이끌었던 정병호(한양대학교 교수)는 미국 일리노이대학 박사 논문 주제를 일본의 보육에 관한 것으로 삼았는데, 주요 초점은 집단적 돌봄을 어떻게 실현시킬 것인가였고, 이를 '사회적 육아'라는 개념으로 정리하였다. 이 사회적 육아의 개념을 한국에서는 '공동육아'의 방식으로 실현하고자 했고 그 실현 주체를 형성하기 위해서 '협동조합'을 구상하기에 이르렀다. 이러한 실천적 내용이 결혼을 하고 직장을 가지고 있는 여성들과 만난 것이다.

이 공부 모임을 토대로 해서 1994년 1월부터 협동조합 설립을 위한 준비가 본격 진행되었다. 1994년 2월 4일, '또하나의문화' 사무실에서 '신촌 지역 공동육아 협동조합 준비 모임'이라는 발기인 모임이 열렸고 이때부터 조합원 모집을 정식으로 시작하였다. 한 달 뒤인 3월 27일에는 발기인(조합원) 전체 모임을 가졌다. 모든 조합원들이 함께 모

─── 1994년 2월, 협동조합 설립 준비 모임에 참여했던 초기 멤버들.
맨 오른쪽은 숙명여대 이기범 교수.

─── 지금의 소행주 공동주택 1호 자리에 위치했던 우리어린이집
(마포구 성산동 249-6).

인 것은 이 자리가 처음이었다. 당연히 소개와 교육, 토론이 뒤따랐다. 요즘이라면 SNS 등에 당시의 풍경을 기록물로 남겼겠지만 아쉽게도 사진이 남아 있지 않다.

뒤이어 4월 16일에는 발기인 총회를 정식으로 개최하고 이사와 감사 등 임원을 선출하였다. 드디어 조직의 꼴이 제대로 갖추어졌다. 5월에는 서울시 마포구 연남동에 어린이집 터전[5]을 마련하였고, 보육교사를 미리 채용했다. 8월 22일에는 감격스럽게도 아이들이 터전에 첫 등원을 하였고, 9월 3일 토요일에 정식 개원식과 함께 협동조합 창립총회를 열었다.[6]

'우리어린이집' 터전은 서울시 마포구 연남동 225-28호에 마당이 있는 2층짜리 단독주택(대지 100평, 건평 70평)이었다. 전세 보증금은 1억 원이었다. 어린이집의 초대 원장은 특이하게도 1978년부터 '해송보육학교'를 만드는 등의 활동을 오랫동안 지속해왔던 정병호였다. 이렇게 된 이유가 마땅히 있다. 다음 장에서 살필 것이다.

초기 등원한 아이들은 생후 4개월부터 6세까지 모두 40명이었고, 교사는 원장을 포함하여 8명이었다. 부모 조합원들은 협동조합 이사회를 직접 구성하고, 그 산하에 있는 교육과 시설, 홍보를 담당하는 소위원회에 적극 참여하는데, 이러한 방식은 현재까지도 전국의 모든 공동육아 어린이집에서 유사한 형태로 유지되고 있다.[7]

지금은 매우 익숙한 방식이지만 당시만 해도 학부모가 직접 어린이집을 만들기 위해 출자금[8]을 모으고(당시 출자금은 1자녀일 경우 300만 원, 2자녀일 경우 400만 원이었다.), 어린이집 터전을 마련하고, 운영에 직접 참여하는 방식은 대단히 특이하면서 획기적이었다. 이러한 실험은 1994년 11월에 열렸던 3개월짜리 '공동육아 현장학교' 워크숍을 통해 매우 빠르게 전국으로 확산되었다.

  현재 성미산마을 사람들 중에서 1994년 이전의 역사를 알고 있
는 사람은 극히 적다. 그러나 하늘 아래 새것은 없고 그 무엇이든 맥
락 없이 갑자기 생겨나지 않는다. 공동육아 어린이집이 탄생하기까지
의 오랜 역사를 살피다 보면 그 과정에서 한국 현대사에서 엄혹했던
1970~1980년대를 경과하는 가슴 설레고 눈물 나는, 때로는 믿을 수
없을 정도로 용기 있는 한 무리의 젊은이들을 만날 수 있다. 2010년
대를 살고 있는 우리들에게는 쉽게 상상할 수 없는 30~40년 전의 역
사가 현재의 나와는 결코 무관할 수 없다는 점에 놀라게 된다. 인간
은 놀라운 정신의 소유자라는 점에, 선배들의 용기와 실천이 결국 우
리를 존재하게 하는 뿌리였다는 점에, 결국 그 스토리가 현재진행형
이라는 점에 또 한 번 놀란다. 1994년 이전의 역사를 되살리는 데에

정병호¹의 기록물에 크게 의지했다.

이야기는 까마득한 1970년대까지 거슬러 올라간다. 1977년 이전부터 서울의 여러 빈민 지역에서 청소년 노동자들을 대상으로 '노동 야학(야간학교)'을 하던 일군의 젊은이들(대학생)이 있었다. 당시는 유신독재라는 현재로서는 상상할 수도 없이 숨 막히던 시기였고, 사회가 민주화될 수 있는 희망이라곤 노동운동 이외에는 없다고 여겨지던 때였다. 1978년 초 어느 날, 야학에 사용할 교재 제작 비용을 마련하기 위해서 유아교육학자들이 모인 자리에 간 청년 정병호는 미국에서 일어났던 헤드스타트(Head start) 운동 이야기를 듣게 된다. 경주마가 뛸 때 머리를 나란히 놓아야 하는 것처럼, 가난한 집 아이들은 초등학교를 가기 전에 이미 학습적으로 한참 뒤처져 있기 때문에 취학 전에 미리 아이들을 교육시켜야만 비슷한 출발선상에 서게 할 수가 있다는 것이다. 이는 오늘날 경쟁력을 강화하기 위해 강요하는 조기교육, 즉 경주마를 동일한 출발선상에 놓고 싶어 하지 않은 의미에서의 조기교육과는 전혀 다른 의미의 조기교육이다. 이후 청년 정병호와 그의 동료들은 노동 야학을 통해 청소년 노동자들의 주체성을 고양시키고자 했던 활동 방향에서 벗어나 커다란 전환점을 가진다. 가난한 지역의 아이들을 대상으로 한 '빈민탁아운동'으로 활동 방향을 확 바꾼 것이다.

새로운 활동의 큰 방향이 정해졌으니 이제는 이러한 구상을 실현할 주체를 만들어야 했다. 그것이 1978년에 야학 운동을 하던 젊은이들과 교육학자와 대학원생들과 함께 만든 '어린이걱정모임'이다. 이

걱정모임에서의 '걱정'의 주제는 '누가 어디에서 가난한 가정의 취학 전 아이들을 가르칠 수 있을까?'라는 질문이었다. 장소는 야학처럼 철거민촌 한쪽 구석에 천막을 칠 공간만 있으면 된다고 여겼으나, 아이들을 가르칠 교사를 찾아내는 게 핵심 문제였다. 그래서 야학 출신자들을 대상으로 유아교육 전문 지식을 가르쳐서 가난한 아이들을 가난한 어른들이 담당하면 좋겠다는 생각에까지 이르게 된다. 구체적으로 보육교사 양성학교를 만들자는 것으로 일이 진행되었다.

어린이걱정모임의 주체들은 같은 해에 구로공단이 가까운 신길동 주택가 한 옥상의 두 칸짜리 방에 '해송보육학교'(야간)를 직접 설립했다. 검정고시 야학과 노동 야학에서 추천받은 사람들 중에서 12명을 최초로 선발했다. 이후 3년 동안 이른바 '맨땅에 헤딩'을 하는 식의 좌충우돌을 거듭하면서도 모두 20명의 졸업생을 배출했다. 해송보육학교는 1981년 말에 문을 닫았다. 그러나 어린이 보육에 관한 사회적 인식이 대단히 낮았던 시대적 상황 속에서 이루어진 이러한 실험은 민들레 홀씨처럼 사회적 보육에 대한 관심을 불러일으키는 소중한 역할을 했다.

1980년 여름, 해송보육학교가 운영되는 중간에 또 하나의 실험이 진행되었다. 서울 관악구 신림동의 철거민촌이었던 난곡 지역에 '해송유아원'(당시 주소는 서울 관악구 신림7동 산104번지)을 만든 것이다. 맨 꼭대기 산등성이에 세운 이곳은 시유지였고 무허가의 거대한 철골 비닐하우스 구조물이었다. 그 속에서 160여 명의 취학 전 아동들이 8명의 해송보육학교 출신 교사들 손에 맡겨졌다. 가난한 가정의 아이들을 대상으로, 그것도 오전반과 오후반으로 나누어서 대규모의 아이들을 돌보았다. 이는 취학 전의 아이들에 대한 교육을 쉽게 상상하지 못했던 시대에 이루어진 엄청난 일이다. 12·12 군사반란과 동시에 5·18 광주민주화운동을 짓뭉개고 등장한 신군부 정권은 정치적 정통성을 가지고 있지 않았다. 따라서 본능적으로 국민의 환심을 사고자 했으며, 어린이와 노인들에 대한 관심을 기울이는 입장을 취했다. 이 역할은 당시의 영부인이었던 이순자가 주로 담당했다.

1981년 10월 30일, 이순자는 해송어린이집(정식 명칭은 해송유아원이지만, 당시 신문은 해송어린이집으로 보도했다.) 개원식에 참석하여 개원 테이프를 끊고 유아복과 크레파스를 선물하는 이벤트를 했다.[10] 이는 해송어린이집에서만 진행하는 특별한 행사는 아니었으며, 전국적으로 수십 곳에서 진행하는 거의 일상적인 행사 중 하나였다. 이로부터 1년 뒤인 1982년 12월 31일에는 '유아교육진흥법'이 제정된다. 동법 제8조 1항은 "서울특별시·직할시 및 시·군은 새마을유아원을 설립·경영할 수 있다."는 것으로서 "유치원, 새마을유아원·어린이집 및 농번기유아원으로 다원화된 유아교육 체계를 유치원과 새마을유아원으로 통폐합"한다는 게 요지였다.

이러한 정치적, 법률적인 맥락에서 보면 해송유아원에서 진행하는 사회적 보육 실험은 정통성이 취약한 정권의 화려한 치적을 위한 희생양이 될 먹잇감이었다. 해송유아원이 자리 잡은 장소가 시유지라는 점과 비닐하우스 구조물이라는 열악한 조건이 행정 개입을 위한 훌륭한 명분이 되었다. 일은 이렇게 진행된다. 처음에는 구청에서

2년 만에 낡아버린 비닐 텐트를 더 안정적인 철제 가건물 수준으로 개축해준다고 선뜻 나선다. 위세를 가진 영부인이 관심을 갖고 다녀가신 유아원이니 구청에서 모른 체할 수 없었을 것이라고 이해할 수도 있다.

그러나 서슬 퍼런 군사정권 시대를 배경으로 한, 행정의 자상한 관심과 배려는 반드시 뭔가 다른 의도를 숨기고 있음을 경험하게 된다. 그 후 얼마 지나지 않아 구청으로부터 통보가 날아들었다. 해송유아원을 시립 새마을유아원[11]으로 지정했다는 내용이었다. 이게 뭔가 하고 뜨악해하고 있을 때 또 하나의 통보가 날아들었다. 새마을유아원으로 지정했으니 자격 조건을 갖춘 곳에 위탁을 준다는 내용이었는데, 그 위탁 운영을 YWCA로 한다는 것이었다. 1983년 3월에 시행된 유아교육진흥법 제8조 2항의 "서울특별시장·직할시장 및 시장·군수는 당해 지방자치단체가 설립한 새마을유아원을 법인이나 단체 또는 개인에게 위탁하여 경영할 수 있다."라는 내용에 따른 것이다. 그러나 해송유아원은 지방자치단체가 설립하지 않았다. 그 전제가 이미 틀렸으므로 당연히 행정 소송을 진행해야 마땅하겠지만, 때는 군사정권 시절이었고, 어처구니없는 몰상식이 아무렇지도 않게 통용되던 때였다.

1984년 결국 해송유아원은 '시립난곡해송YWCA유아원'이란 이름으로 전환되었다. 힘들게 마련했던 터전을 통째로 빼앗겨버린 것이다(물론 YWCA에는 잘못이 없다.). 그것도 법의 이름으로. 이러한 뼈아픈 경험은 교육 공간을 독자적으로 확보하는 게 매우 중요하다는 인식과 대량 교육에 대한 집착 때문에 대규모 유아원을 설립하여 독자적인 자기 통제력을 상실했다는 평가를 하게 된다. 1994년 공동육아 어린 이집을 규모가 작은 협동조합 방식으로 만들고자 했던 근본 이유가 바로 여기에서 비롯된다. 협동조합이라는 아이디어가 어느 날 갑자기 하늘에서 뚝 떨어진 게 아니라 이러한 피땀 어린 경험이 바탕에 깔려 있다는 사실에 새삼 고개가 숙여진다.

해송의 젊은이들은 좌절하지 않고 또 다른 실험에 돌입했다. 1984년 8월, 종로구 창신동의 낙산 성벽 밑에 '해송아기둥지'라는 이 름의 규모가 작은 어린이집을 설립한다. 160여 명의 대량 보육 형태에 서 20여 명의 작은 보육 규모로 바꾼 것이다. 보육 시간도 오전반과 오후반으로 나누지 않고 종일 담당하는 것으로 했다. 일상적인 바깥 나들이(통상 오전 중에 터전 바깥으로 나가는 야외 놀이를 말한다.)를 하고, 음식 을 하고, 먹고, 청소하는 가사의 모든 과정을 아이들과 함께하는 어 머니, 아버지 같은 어른(이를 이모, 삼촌, 언니, 오빠 등의 이미지로 개념화했다.)이 있으며, 오후에는 낮잠을 자고, 흙장난을 할 수 있는 딱 그러한 장소 였다. 또한 교육에 부모 참여가 중요하다는 인식과 실천이 시도되기 시작했다.[12] 이러한 보육 방식은 오늘날 공동육아 어린이집만의 독특 한 방식으로 온전히 이어지고 있다. 해송아기둥지는 1996년 휴원하기 전까지 지역 주민 활동의 중심적 역할을 수행하였다. 그리하여 1998 년 '해송어린이둥지공동체'라는 이름으로 재개원하였고, 2006년 해송 지역아동센터로 인가를 받아 현재까지 유지되고 있다.

다시 해송의 젊은이들에 주목해보자. 시간은 흘러서 1990년에 다다른다. 그사이 해송의 몇몇 사람들[13]은 유학을 떠났고, 해송아기 둥지는 지역 활동의 거점 역할을 하면서도 크게 두드러지지 않게 조용히 운영되고 있었다. 그러던 1990년 3월, 부모가 일터에 나간 사이 문이 잠긴 단칸 지하셋방(서울 마포구 망원2동 유수지공원 근처에 있었다.)에서 불이 나 질식해 숨진 권혜영(5세), 권용철(4세) 남매 사건[14]이 발생한다. 또 한편으로 1980년대 새마을유아원의 설치 근거였던 유아교육진흥법의 한계를 넘어서 새로운 보육법에 대한 논의가 무성하게 진행되고 있었다.[15] 이 두 가지 사건을 계기로 1990년 여름 '탁아제도와 미래의 어린이 양육을 걱정하는 모임'이 새로이 구성되었다. 1978년 '해송어린이걱정모임' 이후 영유아 보육 운동과 관련한 새로운 주체가 다시 형성된 것이다. 이 모임에는 여성주의운동 그룹인 '또하나의문화'가 합류했고, 분야별 전문가가 망라된 좀 더 포괄적인 형태였다. 1980년대 초 난곡 지역의 실험 이후 잠시 휴지기에 들어갔던 활동이 다시 한번 더 확대·부활할 예정이었다.

그러나 계층 차별적 보육과 육아의 영리화가 근간을 이루는 영유아보육법안[16]에 대한 우려와 반대 목소리가 높은 가운데, 1990년 12월에 여당은 다른 법안들을 묶어서 이 법을 무더기 날치기 통과시켜버렸다. 이제는 더 이상 걱정만 하고 있을 수 없는 상황이 되어버렸다. 법과 제도 개선 활동의 성과가 없으니, 남아 있는 일은 독자적으로 공동육아의 터전을 직접 만드는 일이었다. 독립적 공간을 어떻게 만들 것인가. 연구가 필요했다. 그래서 걱정모임을 '공동육아연구회'로 바꾸고, 본격적 연구에 들어갔다. 1992년의 일이다. 과거 해송유아원의 터전을 어처구니없게 빼앗겼던 경험을 바탕으로 부모들의 직접 참여가 가능한 독립적 공간을 확보하는 과제는 협동조합 방식을 고안하게 했다. 해송아기둥지의 보육 프로그램 또한 소중한 집단적 자산이 되었다.

1993년 가을, 공동육아연구회의 여러 성과들이 발표되었다. 그리고 '또하나의문화' 공간에서 부모들의 공부 모임이 진행되었다. 그동안의 육아 실험들이 체계적으로 정리되고, 공부 모임을 통해 부모들의 초기 주체가 형성되자 공동육아 어린이집 설립이 구체적인 속도를 내기 시작했다. 1994년 9월 '신촌 지역 공동육아협동조합 우리어린이집'이 만들어졌다. 처음에는 '우리어린이집'을 3년 정도 성실하게 운영한 뒤 한두 곳 더 확산하겠다는 계획이었으나, 5년째인 1999년에 전국에서 23개 어린이집이 설립되었다. 또한 공동육아연구회는 '사단법인 공동육아연구원'으로 1996년 6월에 전환되었고, 2001년에 '사단법인 공동육아와공동체교육'으로 조직을 개편한 뒤 현재까지 유지되고 있다.[17]

생존, 그리고 섬

1996년이 되었다. 1994년부터 우리어린이집에 다녔던 금강산(여, 1989년생)이 초등학교에 입학을 했다. 이때부터 방과후교실 문제가 현안으로 등장했다. 1996년 2월 우리어린이집 이사회에서 방과후교실에 대해 최초로 논의하였다. 이 회의에서 두 가지 방향이 논의되었다. 첫째는 방과후교실의 위상을 어린이집 내부에 둘 것인지에 대한 판단이었다. 당장은 한 아이의 문제이기 때문에 그냥 7세 아이들과 함께 활동하도록 했다. 둘째는 어린이집과 지역 사회와의 연결고리로서 방과후교실을 설정해보자는 판단이었다. 즉, "지역 사회의 '섬'으로서, 학교에 가서도 특별한 아이들로 취급될 수 있는 공동육아 어린이집 출신 아이들의 위치로 볼 때 방과후교실을 지역 사회 공부방(누구나 참여할 수 있는)으로 확장시키면, 어린이집이 안고 있는 고립화를 해결하며, 나아가 지역 운동으로 발전해갈 수 있는 기반을 마련할 수 있다."[18] 는 것이다.

여기에서 눈에 띄는 대목은 '섬'처럼 고립되었다는 판단이다. 왜 공동육아 어린이집이 고립되었다고 생각했을까? 이는 어린이집을 운영하는 조합의 독특한 문화에서 비롯된다. 우리 사회의 주류 문화는 '경쟁력 강화'를 중요한 가치로 삼는다. 공동육아 어린이집의 문화는 어른과 아이들 사이의 상하 위계관계를 벗어나고자 했고, 미래 경쟁 사회를 예비하는 차원에서 실시하는 조기교육에서 벗어나 아이들의 본성을 훼손시키지 않는 자연스러운 환경에서 자라도록 하려 했고, 부모도 함께 어린이집 운영에 참여함으로써 '협동'을 실현하고 그것을 아이들이 배울 수 있도록 하자는 것이었다.

이것은 이른바 '경쟁' 문화와 거리가 멀다. 오히려 이질적이며 낯설다. 사회는 이미 정글이며 그렇기 때문에 아이들을 강하게 키워야 하는데, 공동육아 어린이집은 온실 속에서 너무 나약하게 키우는 게 아닌가? 이러한 생각과 문화의 차이가 '경계(境界)'를 발생시켰다. 경계는 스케일을 의미하며, 스케일은 커뮤니티 형성을 의미한다. 그러나 여기에서 핵심은 '생존'에 있다. '섬' 속에서 독특한 자기 문화를 발전, 유지시키는 게 좋은지 나쁜지를 떠나서 그러한 방식이 지속가능할지에 대한 판단이 더 중요하다. 과연 살아남을 수 있을까? "이 지역에서 살아남지 못한다면 어디에서나 섬으로 스스로의 힘으로만 살아가야 할 것이다."[19]

모든 공동체는 진입의 문턱과 경계가 있기 마련이다. 경계가 없는 공동체는 애초에 성립할 수 없다. 따라서 모든 공동체는 일종의 섬이다. 단지 그 경계를 스스로 인지하고 있는지, 그 경계가 갖는 한계점을 극복하려는 의지가 있는지가 중요하다. 즉, 고립된 섬에서 안주할 게 아니라 지역이라는 바다를 넘나들어야 한다. 이러한 문제의식이 공동육아 방과후교실 문제를 깊고도 신중하게 고민했던 근본이유였다.

이사회 회의 직후 1996년 2월 23일 교육조 모임[20]이 있었다. 일단 이사회의 결정에 따라 한두 달 동안 금강산의 상태를 관찰하기로 했고, 장기적으로 공부방을 독자적인 영역으로 분리하느냐, 어린이집의 통합 체제 속에 두느냐를 집중적으로 논의했다. "①독자 영역 분리: 4학년 이후에도 공부방은 필요하다. 그렇다면 3학년까지 보육 문제로만 생각할 것이 아니라 아예 독자적인 공부방으로 운영 체계를 잡아가는 편이 낫다. ②어린이집 통합 체제: 어린이집을 처음 시작할 때부터 10세까지 통합 교육을 목적으로 만들었다. 가정처럼 형제자매로서 유기적인 연결을 가지고 있어야 한다."[21]

곧바로 1996년 2월 25일에 공동육아연구원 주최의 이사회 워크숍을 개최하여 방과후교실 문제를 깊이 있게 논의했다. 모든 문제를 가벼이 처리하지 않는 마을의 특징이 여기에서도 여실히 드러난다. 여기에서는 공간에 대한 논의가 있었다. 즉, 통합 효과를 위해서는 어린이집과 동일한 공간에서 방과후교실을 진행하되, 프로그램은 독립적으로 진행해야 한다는 것이었다. 그러나 이러한 판단(동일 공간 별도 운영)은 당사자 아이로부터 아주 간단하게 거부되었다.

1999년 3월 도토리방과후의 아이들.

1996년 서울 창서초등학교에
입학한 금강산.

이 문제를 판단하기 위해서 몇 개월 동안 아이의 상태를 지켜보기로 했다. 그 결과, "아이가 어린이집에 오는 것조차 싫어한다. 초등학교 학생으로서 (미취학) 어린이집에 오는 것이 창피하고 재미없다."는 것을 알게 되었다.[22] 이제는 본격적으로 별도의 방과후교실에 대한 준비를 시작해야만 했다. 어린이집 이사회에서 이 문제를 전담하기는 어려우므로 '방과후교실 준비 모임'을 따로 구성하기로 했다. 쉬워 보이는 문제를 굉장히 어렵고도 복잡하게 처리하는 공동육아 문화를 계속 관전해보자. 독자들은 집중력을 잃지 말고, 논의 흐름을 잘 따라와야 한다.

논점은 이러하다. 첫째, 방과후교실을 어린이집 안에 둘 것인가, 따로 분리할 것인가? 얼핏 보면 분리하는 게 당연한 것으로 여겨진다. 그런데 이게 왜 논점이 될까? 그건 어린이집 안에 두어야 한다고 주장하는 조합원이 있었기 때문이다. 반대 의견을 설득하려면 설득의 근거를 마련해야 한다. 그렇기 때문에 모든 논의가 신중하고 복잡해지는 것이다. 다시 본래 논의로 돌아오면, 공동육아 어린이집을 처음 만들 때에 10세까지 통합 보육하는 것을 원칙으로 설정한 바가 있다. 그런데 10세까지 보육하는 경험을 처음으로 마주한 것이다. 그러니 판단이 헷갈릴 수밖에 없다. 미취학부터 10세까지 통으로 보육하자는 초기의 프레임이 있었는데, 실제로 경험을 해보니 이게 현실에 맞지 않더라, 그래서 초기 프레임을 바꾸어야 한다는 문제 제기가 있게 된 것이다. 실제로 초등학교에 다니는 아이들과 어린 동생들을 뒤섞어 놀게 했을 때, 작은 아이들이 큰 아이들에게 휘둘리고 그 아이들의 리듬에 빨려 들어가는 문제가 발생했다. 그래서 결국은 미취학 아이들 대상의 어린이집과 초등학교 저학년 아이들 대상의 방과후교실의 공간을 분리하기로 결론을 내렸다.

둘째는 방과후교실에 일반 아이들(공동육아 어린이집 출신이 아닌 지역의 아이들)을 받아들일 것인가 하는 문제였다. 이것은 지역 사회 공부방으로서 위상을 잡아야 하는가와 연관되어 있었다. 즉, 지역 사회에 대한 개방적 형태의 방과후교실을 추구할 것인가였다. 결국은 지역 내의 '섬'으로 존재했던 협동조합 어린이집 활동을 방과후교실을 통해 지역 사회 개방형으로 돌파하고자 했던 여러 시도는 무산되었다. 이 문제도 나중에 방과후교실을 협동조합 방식으로 독립시키자는 결정이 나면서 자연스럽게 협동조합 경험이 있는 사람을 중심으로 모이게 되었다.

셋째는 초등학교 3학년까지만 대상으로 하여 방과후교실을 운영할 것인가였다.[23] 4학년 이후에도 여전히 7시 30분 이후에야 부모를 만날 수 있을 것이고, 또 함께 성장한 아이들에게 공동체 문화를 이어주기 위해서라도 이들을 대상으로 하는 모임과 프로그램이 있어야 하지 않을까? 얼핏 보면 사소한 문제처럼 여겨지고, 부모들이 너무 과잉 걱정을 하는 게 아닌가 하는 느낌이 들기도 했다. 그러나 이러한 논의와 고민은 2000년 이후 지역 교육 시스템을 기획해내었던 것으로 계속 이어진다.

2000년 9월 중에 도토리방과후의 장기 전망에 대해서 논의했다. '지역 방과후'로 확장해야 한다는 생각 속에서 이제 새로이 만들어진 마포두레생협과 협력하여 도토리방과후와 생협의 지역 학교가 유기적인 관계를 구성하자는 방안이 나왔다. 즉, 도토리방과후(조합형 방과후)는 1~4학년으로 운영하고, 생협의 지역 학교(지역형 방과후)는 1~6학년으로 프로그램을 운영하자는 것이다. 이러한 고민은 뒤에 생협 부설로 설치된 '우리마을꿈터'라는 지역 교육 공간을 만드는 것으로 현실화되었다.

　이제 방과후 논쟁에서 벗어나 다른 측면을 살펴보자. 1999년 가을, 도토리방과후에서는 장차 성미산마을의 토대를 이루는 아주 중요한 결정을 하였다. 어른들의 작은 모임(동아리)을 만들기로 한 것이다. 이제 아이 키우기 중심에서 어른들 당사자의 삶을 가꾸는 것으로 관심사가 확대되었다. "아이들만이 아니라 어른들도 행복한 공간 만들기"를 목표로 삼은 것이다. 지역 내 문화 단체인 노름마치와 연계한 풍물패 '뚝딱패', 아이들 공간의 수리와 취미를 결합한 '목공반', 무엇이든 손으로 만들어내는 수공예 모임 '맥가이순', 교육 문제에 대한 '학습반', 함께 먹고 나눠 갖는 '요리모둠', 여성들의 자유로운 만남인 '여자여자' 등의 동아리가 만들어졌다. 왜 이런 생각을 했을까? 오지랖이 넓은 것을 떠나서 시간이 남아도나?

　"우리가 사는 삶의 터전 자체가 변하지 않는다면, 그 속에서 살아가는, 그리고 살아갈 사람들이 함께 호흡하지 못한다면 좁은 공간에서 짧은 시간 동안 이루어지는 아이들의 보육은 생명력을 잃고 만다는 결론에 도달했다. 진정으로 우리가 터를 잡아야 할 공간은 작은 어린이집 공간을 넘어, 바로 '지역'이었다."

이것이 성미산마을 사람들의 바탕에 흐르는 생각이다. 지금까지 아이들을 함께 키우자는 데에서 더 나아가 어른들 자신의 인생을 어떻게 살 것인지에 대한 관심은 이후 성미산마을을 형성하는 데 결정적인 역할을 하게 된다. 돈을 많이 벌어 미래를 보장받는 문제보다 '함께' 어울려 사는 문제에 주요 초점을 맞추었다고나 할까.

축제를 꿈꾸다

1998년 5월 5일, 어린이날을 맞이하여 의미 있는 첫 번째 이벤트가 있었다. 제1회 '전래놀이 한마당' 을 성서초등학교 운동장에서 개최한 것이다. 이는 우리어린이집 교사회가 주도하는 아이들을 중심으로 한 행사였는데, 이듬해 1999년에는 '날으는어린이집'도 함께 참여하여 규모가 확대되었다. 이는 2000년까지 지속되다가 2001년에는 마포두레생협의 노력에 힘입어 '성미산마을축제'로 이어진다. 성미산마을축제는 지금까지도 지속되고 있다. 또한 여름방학과 겨울방학 때에는 '지역 학교'라는 이름의 프로그램을 진행했다. 이 프로그램을 진행했던 취지는 지역 아이, 조합 아이를 가리지 말고 함께하자는 것이었는데, 이는 지역 사회에 '열린 방과후교실'을 추진했던 것과 같은 "지역 속에서 함께 살자"는 맥락에서 비롯된 것이었다. 즉, 공동육아를

2001년 5월, 제1회 성미산마을축제의 길놀이.

지역에서 함께해야 한다는 생각과 어린이 놀이문화를 가꾸고 확장해야 한다는 생각이 겹쳐져서 만들어진 것이다.

또 도토리방과후의 학부모들이 중심에 되어 초등학교 고학년생을 대상으로 '도토리 문화체험교실'을 진행했다. 2000년 3월부터 매주 화요일과 금요일 오후 4시부터 두 시간 동안 문화체험교실이 열리는데, 주로 손공예, 나무공예, 흙놀이, 인형 만들기, 마임, 연극 등의 프로그램을 진행했다. 이러한 프로그램은 도토리방과후 내부에만 한정하는 게 아니라 지역 차원에서 더 폭넓은 교육을 시도하려는 것이었다.

이후 2000년 5월 어린이날에 우리어린이집과 도토리방과후에서 주최하는 전래놀이 한마당 '땅을 짚어라' 행사가 오전 10시 30분에서 오후 1시 30분까지 성서초등학교 운동장에서 열렸다. 행사 안내 리플릿과 포스터까지 만든 이 행사는 지역 주민들과 아이들이 자유롭게 참여할 수 있도록 개방해놓았다. 전래놀이 한마당의 규모와 내용은 이렇듯 점차 확대되었다.

이경란

1964년생. 연세대학교에서 박사학위를 받았다. 대학 강사 시절이었던 1993년 가을, 공동육아에 대한 소개와 공부 모임을 제안하는 「한겨레신문」 기사를 접하고서 주저 없이 참여했다. 당시에는 둘째 아이를 임신하고 있었기 때문에 조합 설립 과정에는 깊이 관여할 수 없었다. 1996년 어린이집 창립 때부터 등원했던 아이들이 초등학교에 입학하자 방과후교실의 구성을 놓고 깊이 고민하면서 관여하기 시작했다. 공동육아 어린이집은 협동조합으로 출발했고 공동육아의 방향을 충분히 실현하였으나, 초등학생들의 방과후교실은 지역 사회에 개방하여 함께 만들어가야 한다고 여기고 있었다. 지역 사회에서 고립된 '섬'으로 존재하는 협동조합이 자신의 한계를 깨고 연결을 강화해야 한다고 생각해서다. 이것은 나아가 초등학교 고학년생들을 대상으로 한 이른바 '마을학교 프로그램'으로 확장되어야 한다는 생각으로 연결되고, '전래놀이 한마당'과 같은 행사를 통해 지역 사회와의 연결을 강화하고자 했다. 2001년 이후 마포두레생협이 창립된 이후, 이를 기반으로 '우리마을꿈터'와 같은 지역에 개방하는 공간을 구성하였고, 2007년 이후에는 생애주기에 따른 마을에서의 평생교육이라는 커다란 그림으로 연결하여 '우리마을 배움터' 프로그램으로 확장하였다. 현재의 시점에서 이경란의 생각 흐름에 따르면 서울시 혁신교육지구 사업의 '마을학교' 개념과 연결된다고 할 수 있다.

chapter

2

마을의 탄생

'섬'에서 탈출해야 살아남을 수 있다는 생각은 분명했으나
그렇다고 드넓은 바다에서 방향 없이 마냥 헤매고 싶지는 않았다.
정체성 유지가 중요하다.
무엇 때문에 어린이집을 만들고 생협을 만들면서
이러한 번잡스런 일을 하는가라는 근본 물음을 놓치면 안 된다.
이러한 물음은 오늘날에도 여전히 유효하다.

생협, 포괄적 관계망의 요구

성미산마을의 탄생을 단순히 공동육아 어린이집의 자연스런 발전 과정으로만 보기에는 다소 무리가 있다. 2017년 기준 전국적으로 ㈜공동육아와공동체교육에 소속되어 있는 각종 교육기관은 100여 개다. 위와 같은 단순 논리로 보면 공동육아 어린이집이 있는 대부분의 지역에서는 동시에 마을 공동체가 형성되어 있어야 한다. 그러나 사실은 그러하지 않으며, 성미산마을의 형성 원인에 대해서는 여러 복잡한 요인을 찾아보아야 한다.

2000년에 들어서면서 새로운 움직임이 일어났다. 생활협동조합을 만들자는 것이었다. 어쩌면 이 생협의 탄생으로부터 성미산마을이 비로소 형성되었을 수도 있다. 2000년에 발족한 마포두레생협 이전에 이곳 지역에서는 1996년부터 신촌을 지역 기반으로 하는 '새터생협(준비위)'이라는 이름의 생협이 이미 있었다. 새터생협 내에 공동육아 어린이집 소속의 조합원들이 별도의 모임을 꾸리고, 생협 운동과 공동육아 활동을 결합시키고자 한 것이다. 즉, 어린이집을 활용하여 공동 구매와 물품 배분을 진행해보고자 한 것이다. 이와 더불어 수입 농산물에 대한 비디오를 시청하는 등 먹거리 교육을 진행하기도 했다. 또한 생산지를 직접 방문하여 좋은 물품을 사용하고 있다는 사실을 적극적으로 알렸다.

1996년 4~5월 무렵의 새터생협 (예비) 조합원 숫자는 전체 100가구 정도였고, 그중에서 우리어린이집 조합원은 20가구 정도 되었다. 서교동에 있는 날으는어린이집에서도 아이들의 점심 급식을 위해 새터생협의 물품을 이미 공급받고 있었다. 이 두 어린이집은 합동 이사회 모임을 갖고 지역 내부에서 어린이집의 문제와 함께 지역 사회 공동체 문화 만들기 차원에서 생협과의 연계를 도모하고자 했다. 1996년 6월에 새터생협이 서교동에서 정식으로 창립했으나 그곳에 뿌리를 내리지는 못했다. 지역을 기반으로 내실 있는 커뮤니티를 꾸리려는 노력이 부족하였을 뿐만 아니라 경험도 적어서 조합원이 늘지 않았던 것이다. 이처럼 조직률이 낮으니 매출이 낮고, 매출이 낮으니 생협의 상근 실무자를 더 늘릴 수가 없었다. 결국은 1998년과 1999년 사이에 새터생협은 신촌 지역에서의 활동을 중단하고, 은평구로 자리를 옮기게 되었다.

1999년에서 2000년으로 넘어가는 겨울, 생협을 새롭게 만들어보자는 제안을 박홍섭(당시 도토리방과후 조합원)[27]이 하였다. 박홍섭은 오랫동안 대학생협 운동을 해왔던 사람이었는데, 평소에 생협은 지역에서 자리 잡아야 한다고 생각하고 있었다. 생협을 새롭게 만들자는 제안이 많은 사람들의 관심과 동의를 얻었던 배경에는 어린이집 중심의 관계성만으로는 어른들의 관계가 지속가능하지 않을 것이라는 판단이었다. 아이들이 성장하여 어린이집을 졸업하면서 몇몇 가구는 이사를 갔고, 동네에 여전히 남아 있더라도 전처럼 긴밀한 관계를 유지할 수 없었다.

이제 어린이집을 뛰어넘는 새롭게 확장된 관계망이 필요했다. 생협에 대한 관심은 이러한 내적인 필요성에서 기인했다. 2000년 3월에 여덟 명의 사람들의 수다 모임이 있었다. 이들은 안전한 먹거리로 일상적 생활을 나눌 수 있는 지역 생협을 만들어보자는 결론을 내렸다. 새터생협 초기의 어려움을 모두 지켜보고 직접 경험했기 때문에 처음부터 지역에 확고히 뿌리내려야 한다는 생각을 강하게 가지고 있어서였다. 더구나 공동육아 어린이집 조합원들의 주요한 관심사는 아이들을 지역에서 어떻게 하면 좀 더 안전하게 키울 수 있을 것인가 하는 점이었다. 즉, 어린이집에서 초등 저학년 방과후교실로 아이들의 성장에 맞추어 그때그때 새로운 조직을 만들게 아니라, 좀 더 포괄적으로 생활환경을 조성해보자는 생각을 가지고 있었다.

이렇듯 새로운 생협을 만들자는 데에 생각이 모아지자, 언제나 그렇듯 성미산마을 사람들은 무척 빠른 속도로 일을 추진하기 시작했다. 충분한 의사소통의 과정을 밟아야 하기 때문에 결정은 답답할 정도로 느리지만, 결정 이후 실행은 매우 빠른 것이다. 2000년 4월

2000년 11월 생협 사무실 개소식.

축문을 읽는 초대 이사장 박흥섭.

조합의 이름을 '마포생협'(가칭)으로 정하고서 설립 동의자를 모으기 시작했다. 이때에 네 개의 공동육아 협동조합(우리어린이집, 날으는어린이집, 도토리방과후, 풀잎새방과후) 조합원들이 대거 참여하고 활동의 중심에 섰다. 2000년 7월, 우리어린이집에서 열여덟 명이 참석하여 발기인대회를 열었다. 발기인 대표에 박홍섭(이후 초대 이사장), 간사에 구교선(이후 상무이사)을 선임했다. 구교선 상무이사는 이후 10년 동안 마포두레생협에 재직하면서 조합원을 6천여 명으로 늘리고 연매출 60억 규모로 성장시킨 전설적인 성과를 내었고, 현재는 은퇴하여 원주 지역으로 귀농하였다.

발기인대회 이후 마포두레생협의 독특한 색깔이 한껏 드러나기 시작했다. 2000년 9월부터 조합을 정식으로 창립하기도 전에 '농사모'라는 농사 소모임부터 만들었다. 경기도 화성시 비봉에 있는 생협 농장을 주말마다 방문하여 농사를 짓는 모임이었다. 이는 1999년에 도토리방과후에서 진행했던 어른들의 동아리 활동을 이어받는다는 의미도 있었다.

"설립 당시 생협에서 맨 처음 한 일은 조합원의 범위를 정하는 일이었다. 더 중요한 일이 먹거리를 나누는 것만이 아니라 생활을 나누는 일이었다. 그러려면 무엇보다 자주 만날 수 있어야 했다. 행정구역과 별개로 생협 매장을 중심으로 반경 약 2km를 정하고 그 범위 안에 사는 주민을 조합원으로 하기로 했다. 그 범위를 넘어서면 막지는 않았지만 권하지도 않았다."[28]

조합원들 사이의 긴밀한 생활 관계망을 형성하고자 했던 취지를 주요 멤버들 사이에서 공유하고 있었기에 가능한 일이었다. 2000년 11월 20일 월요일에 첫 주문을 받았고, 첫 공급은 2000년 11월 24일 금요일에 이루어졌다. 역사적인 순간이었다.

2001년 2월에 마포두레생협이 정식으로 창립총회를 개최했다.[29] 창립 초기 조합원들은 네 개의 협동조합 어린이집 조합원이 거의 대부분이었다. 즉, 공동육아 협동조합의 부모들은 아이들을 자연친화적으로 양육하고자 하는 욕구뿐만 아니라 안전한 먹거리의 필요성도 공감하고 있었다. 활동 초기부터 조합원들의 각종 소모임을 만들고자 했다. 등산, 마라톤, 풍물, 택견, 조각보 만들기 모임 등을 시도했다. 또한 초기에는 지역 주민들의 조합 가입이 월평균 다섯 명 정도로 대단히 저조했으나, 2002년 안전한 먹거리에 대한 방송과 갖가지 식품 사고 등이 맞물려서 월평균 열 명 정도로 늘어났다. 2001년도 월평균 매출은 500만 원 정도였다. 9월 추석 매출이 1,300만 원 정도에 이르자 관계자 모두가 깜짝 놀랐다.

또한 생협을 발기했던 초기부터 '지역과 함께'라는 취지를 분명하게 했기 때문에 이후에 마을축제, 성미산 지키기 운동, 지역 교육센터 설립, 마을기업[30] 추진 등에 가장 앞장서서 노력했으며 마을 일에서 중심적 역할을 수행했다. 사실 성미산마을은 생협과 함께 발전하였다고 해도 과언이 아니다. 생협 조합원의 가입 자격에 대해서는 2001년 10월 5일 제9차 정기 이사회에서 논의가 있었다. 원거리에서 조합원 가입 문의가 있어서 그 기준을 정해야 했다. 마포두레생협은 조합원들이 친환경 생활재를 이용하는 것뿐만 아니라 조합 활동에 참여하면서 실제적으로 생활 속에서 협동 정신을 실현하는 것(지역 내에서의 공동체적인 관계 확립)이 중요하므로, 원거리에 거주하는 경우는 이러한 활동을 기대할 수 없다고 판단했다. 그래서 지역적으로는 생협의 주사무소(또는 성미산)를 중심으로 반경 2km 이내에 거주하는 주민인 경우에 한해 가입을 받기로 했다. 이러한 원칙은 2005년까지 이어지다 사업 대상 지역이 확대되면서 소멸되었다.

2001년 3월에 '마포지역협동조합협의회'를 구성했다. 이때 참여한 조합은 우리어린이집, 날으는어린이집, 도토리방과후, 풀잎새방과후, 마포두레생협 등 모두 다섯 곳이었다. 이 모임 구성은 2001년 2월에 창립한 마포두레생협의 발의에 의한 것이었고, 정기적인 모임을 갖기로 한 최초의 일이었다. 또한 교육과 홍보, 마을축제와 체육대회, 마을송년회 등 다섯 가지를 공동사업으로 정하였고 실제로 이를 하나하나 실행했다. 마을축제의 경우 마을의 생명숲인 성미산, 그리고 이웃과의 만남을 통해 더불어 살아가는 즐거움을 나누기 위한 주민잔치로 기획되었다. 교육의 경우 초기에는 아이들과 관련된 내용이 주를 이루었지만, 이후에는 도시공동체마을에 대한 관심으로 이어졌으며 이것이 기초가 되어 '지키고 가꾸어야 할 마을'이란 개념이 자리잡게 되었다. 가을운동회는 조합별 대항전을 통해 각각의 협동조합의 특성을 이해하고 서로 친목을 다지는 계기가 되었으며, 마을송년회의 경우 해마다 마을을 위해 힘쓴 사람들을 칭찬해주고 다음해의 주요한 사업에 대해 공유하는 역할을 했다. 이러한 지역 협동의 직접적

틀은 커뮤니티 구성원들의 결속력을 급속히 높여주었고, '마을'이라는 의식을 갖게 하는 데 큰 기여를 했다. 이후 조합협의회는 '참여와 자치를 위한 마포연대'를 거쳐 '사람과마을'로 그 역할이 계속 이어졌다.

지역 교육을 위한 집요한 시도

섬에서 탈출해야 살아남을 수 있다는 생각은 분명했으나 그렇다고 드넓은 바다에서 방향 없이 마냥 헤매고 싶지는 않았다. 정체성 유지가 중요하다. 무엇 때문에 어린이집을 만들고 생협을 만들면서 이러한 번잡스런 일을 하는가 하는 근본 물음을 놓치면 안 된다. 이 질문은 오늘날에도 여전히 유효하다. 우리들은 스스로 생각하기에 지극히 상식적인 삶을 살고자 했다. 경쟁을 강요하는 방식으로 아이들을 키우고 싶지 않았고, 서로가 협력하면서 살고 싶었으며, 오염된 먹거리를 우리의 식탁에 허용하고 싶지 않았다. 우리의 생활상에서 '필요'로 하는 것과 우리가 하고자 하는 '욕구'를 스스로 해결하고 싶었다. 그 이상도 그 이하도 아니었다. 그저 우리 자신의 선한 본능에 충실하자는 생각이었다.

가장 강력하면서 기초가 되는 '필요'는 교육의 영역이었다. 아이들이 성장함에 따라 가능한 방식으로 교육 시스템을 스스로 만들고자 했다. '지역 학교'에 대한 바람은 우리의 근본적인 '필요'였다. 어린이집과 방과후교실이 협동조합으로 운영되면서 갖는 일종의 진입 장벽(門턱)을 걷어내고 지역 내에서 '공공성'을 띤 공간으로 자리 잡기 위해 지역 방과후, 열린 방과후를 만들어내고자 했다. 당사자 중심의 협동조합의 틀을 벗어나 비용 부담을 확 줄이기 위해서는 방과후 공간을 무료로 사용할 수 있는 공공 공간이어야만 했다. 그러나 이를 현실화시키기에는 거의 불가능했다. 그렇다고 포기할 수는 없는 일. 다른 방식을 찾아야 했다.

지역으로 문을 활짝 열자는 기본 생각은 여전히 유지되었으므로 지역 아이들과 함께할 수 있는 프로그램의 일환으로 '계절 학교'를 구상하였다. 2000년 2월, 도토리방과후에서 초등학생을 대상으로 하는 겨울 지역 학교 '얘들아! 놀자' 프로그램을 진행했다. 주요 내용은 그동안 진행했던 전래놀이가 중심이었는데, 제기 만들기, 새끼 꼬기, 전래동요 배우기 등이었다. 겨울방학 때 진행되었던 프로그램은 신학기가 되면서 도토리방과후 학부모들이 중심에 되어 초등 고학년생(4~6학년)을 대상으로 한 '도토리 문화체험교실'로 이어졌다. 그러다 아예 봄 학기 동안 매주 화요일과 금요일 오후 시간에 정기적으로 손공예, 나무공예, 흙 놀이, 인형 만들기, 마임, 연극 등의 여러 가지 프로그램을 상설로 진행하기에 이르렀다. 이러한 프로그램은 도토리방과후 내부에만 한정하는 게 아니라 지역 차원에서의 더 폭넓은 교육을 시도하는 것이었으며, 이후에 '성미산생태학교'라는 이름으로 그 내용이 확장되었다.

2000년 5월 5일 어린이날에 우리어린이집과 도토리방과후에서 주최하는 전래놀이 한마당 '땅을 짚어라' 행사가 성서초등학교 운동장에서 열렸다. 행사 안내 리플릿과 포스터까지 만든 이 행사는 지역 주민들과 아이들의 참여도 가능했다. 그런데 이 프로그램이 생각보다 흥미진진했다. 어린이날에는 아이들 손을 잡고 놀이공원 등지를 돌며 파김치가 되어 돌아오는 게 흔한 풍경이어서, 그럴 바에는 차라리 동네에서 함께 즐겨 보자는 단순한 취지의 행사였다. 그런데 아이들도 즐겁지만 어른들이 더 즐거운 행사가 되고 말았다. 달리기에, 씨름에, 함께 먹고 마시고, 어찌 아니 즐겁겠는가. 이러한 사소한 계기와 작은 즐거움이 그 다음해부터는 '성미산마을축제'라는 이름으로 확대되었다.

2000년에 집중적으로 시도된 일련의 교육 프로그램을 상설로 운영하고자 하는 움직임이 급물살을 탔다. 아이들이 계속 성장하면서 초등 저학년 중심이었던 도토리방과후의 한계를 벗어나 초등 고학년까지를 포괄하는 상설 시스템을 만들고자 했다. 즉, 협동조합 방식으로 운영되던 방과후교실을 '지역 방과후'로 확장해야 한다는 생각이 자리 잡기 시작했다. 이제 막 탄생한 마포두레생협과 협력하여 도토리방과후가 주축이 되어 지역 학교를 새롭게 만들려는 시도를 했다. 도토리방과후(조합형 방과후)는 1~4학년으로 운영하고, 생협의 지역학교(지역형 방과후)는 1~6학년으로 프로그램을 운영하고자 하였다. 이

방안은 생협 내에 교육소위원회(이경란, 김효진, 박현숙, 현병호)를 설치하여 이후 계속 발전시켜 나갔다. 그리고 급기야 지역 내에 상설 교육 공간을 만들자는 생각에 이르게 된다.

2001년 12월에 마포두레생협은 마을 교육 문화 공간으로 사용될 생협 교육관을 마련했다. 장소는 서울 마포구 서교동 474-40호 지하 1층(약 40평)이었다. 교육관을 마련한 이후에도 '마을학교 기획단'이라는 이름의 모임을 꾸준히 진행해나가다 2002년 8월에 교육관의 이름을 '우리마을꿈터(이하 꿈터)'로 정하였다. 그리고 같은 해 12월에는 공간 및 도서관 설비 마련을 위해 1,000만 원 정도의 기금을 모으고 부족한 금액은 차입하여 서울 마포구 서교동 457-3호 '설고기집(식당)' 2층으로 자리를 옮겼다. 이 공간은 2008년 6월 '꿈터택견'이라는 이름의 택견 교육장으로 활용되다가, 2015년에 골목 안쪽으로 자리를 옮겼다.

당시 꿈터 운영위원장이었던 이경란에 따르면 꿈터를 만든 취지는 다음과 같다. "(1994년 이후) 지난 9년 동안 아이들의 성장 과정에 대해서 생각하고, 아이들을 도와줄 방법, 그리고 우리들도 성장할 수 있는 방법을 모색해왔다. 그래서 어린이집을 만들고, 방과후를 만들었다. 그리고 이제는 마을학교를 만들었고, 어른들의 배움터까지 될 수 있는 공간을 마련했다. 초등학생부터 어른들까지 함께 배우고, 배움을 나누는 평생교육 기관을 꿈꾸고 있다."

이렇듯 1998년부터 시작된 지역방과후 교육 시스템을 만들자는 논의가 1999년의 고학년 문화 체험교실로 이어지다가, 2000년에는 여러 가지 프로그램이 나름 규모 있게 진행되었으며, 2001년에는 상설 교육 공간 마련으로 이어지게 된 것이다. 그러나 2003년부터 시작된 대안학교를 만들자는 논의는 이러한 일련의 흐름과는 다른 맥락에서 제기되었다. 그것은 마을 구성원의 확장과 새로운 주체의 등장을 예고하는 것이었다.

박흥섭

1961년생. 현재 소행주(소통이있어행복한주택) 대표이사이다. 1988년도에 국민대학교 총학생회 문화부장이었고, 4학년 복학생이었다. 당시에 총학생회와 별도로 학생복지위원회(약칭 학복위)가 있었는데, 이들이 서울 지역 연합으로 여름 연수회를 개최하였고, 박흥섭도 거기에 참가하였다. 저녁에 생활협동조합에 대한 소개가 있었다. 이때 1960~1970년대 척박했던 시절에도 협동조합 운동을 전개했던 어른이면서 전설적인 사람들을 만날 수 있었다. 그래서 협동조합 운동에 참여하기로 결심하였고, 학생복지위원회 활동을 학생소비자조합으로 연결하고, 대학생협을 만들어야 한다고 여겼다. 1989년부터 '대학생협연합(건준위)'이라는 이름으로 사회활동을 본격 시작하였다. 1994년이 되자 이 조직은 생협전국연합회(홍대역 부근 가톨릭청년회관 자리에 있었던 가톨릭대 분관에 입주해 있었다.)에 소속되기로 결정한다. 생협전국연합회의 대학생협특별위원회(본부)로 자리매김하고 그곳의 본부장을 맡았다. 1994년에 우리어린이집에 조합원으로 참여했고, 1996년에는 '새터생협'을 만들었다. "지역을 기반으로 한 생협(지역생협)"을 만들어야 한다는 선배 활동가들이 조언을 받아 신촌과 홍대 인근에서 이를 실현하고자 한 것이다. 처음에는 본인이 거주하는 집의 반지하 창고와 쪽방에다 새터생협 사무실을 차렸다. 그러나 지역 생협을 운영하는 경험이 부족하였고, 여러 가지 우여곡절을 겪은 탓에 결국 마포 지역에서 자리를 잡지 못하고 은평 지역으로 옮겨갔다. 한편으로 공동육아 어린이집 내부에서는 아이들이 초등학생으로 성장하고 도토리방과후교실로 분화해감에 따라 기존의 관계망을 유지할 수 있는 좀 더 포괄적인 틀을 요구하였다. 초기에는 아이들에 초점을 맞추어 '교육 생협'을 제안하기도 했다. 그러나 아이들 중심으로 가면 시간이 지남에 따라 그 한계가 드러날 것이므로 '먹거리'와 관련한 생협이 적당할 것으로 여기게 되었다. 1999년 겨울부터 2000년 초반에 새로운 생협을 만들자는 논의가 있었다. 때마침 구교선이 큰 관심을 보였고, 결국 이 일을 전담하였다. 발기인 모임을 진행하는 데에는 큰 어려움이 없었다. 이미 새터생협의 경험이 있었고, 생협 운동에 종사하는 전문가 박흥섭이 있었기 때문이다. 서너 차례의 발기인 모임 후에 곧바로 사무실을 만들었고, 박홍섭이 초대 이사장을 맡았다. 이후 마포지역협동조합협의회(우리어린이집, 날으는어린이집, 도토리방과후, 풀잎새방과후, 마포두레생협)를 구성하였고 공동 사업을 진행하였다. 그 첫 번째가 2001년 5월에 개최한 성미산마을축제(제1회)였다. 성미산마을축제를 기획하게 된 초기 생각은 "아이들에게 고향을 만들어주자."라는 것이었다. 왜냐하면 어른들은 대부분 시골 출신이거나 도시에서도 오래된 골목 출신들이었기에 나름의 고향이 있었지만 아이들은 자신들의 고향이 없었기 때문이다. 1998년부터 시작된 '전래놀이 한마당'은 지역 사회와의 연결을 꾀하고자 했던 취지가 강했다면, 2001년도 성미산마을축제는 아이들에게 고향을 만들어주어야 한다는 생각이 더 강했다. 결국 공동육아 운동의 흐름과 생활협동조합 운동의 흐름이 서로 결합하여 새로운 주체(마포지역5개협동조합협의회)를 형성하고, 공동 사업을 진행함으로써 관계망이 항상적으로 지속 강화하였고, 결국 성미산마을이 태어난 것이다. 그 중심에 이경란과 박홍섭이 있었다.

제1차
성미산 지키기 운동

2001년 7월 어느 날부터 학교법인 한양재단에서 갑자기 주민들에게 의견 수렴을 하고 다녔다. 내용인즉 성미산 남사면에 있는 한양재단 사유지에 12~15층짜리 420세대 가량의 아파트를 건설할 계획인데, 이를 주민들이 동의해주면 성미산 북면에 있는 골프 연습장 부지를 마포구청에 기부채납하겠다는 내용이었다. 이른바 성미산 남사면에 아파트를 짓겠다는 '지구단위계획안'[31]을 들고서 주민들에게 동의를 구하는 것이었다.

그러는 와중에 2001년 7월 21일 우연히 성미산에 올랐던 김문주(당시 도토리방과후 및 생협 조합원)가 낯선 알림판을 보게 되었다. 배수지[32] 운운하는 성미산 개발에 관한 내용이었다. 이로써 성미산배수지 개발 사업이 성미산마을 사람들에게 본격적으로 알려졌다. 한양재단의 주민 의견 수렴 과정에서 알려진 아파트 건립 계획과 배수지가 서로 연결되어 있다는 점도 쉽게 추정할 수 있었다. 뭔가 좋지 않은 느낌이 왔고, 성미산이 완전히 망가지겠다는 불안이 주민들 사이에 엄습했다. 물론 이 두 개의 계획은 상호 연결된 것이 아니었지만, 주민들이 보기에는 연결된 것으로 인식되었다.

2001년 7월 22일 마포두레생협 제6차 정기 이사회에서는 안건에 없었던 성미산 개발 관련 건을 논의했다. 이것이 마을에서 최초로 성미산 문제를 공식 논의한 것이다. 이날 논의에서는 관련 정보가 취약하여 개발 계획의 진행 정도보다 더 자세한 내용을 알아보기로 했다. 일단 성미산 개발 반대 운동을 전개하기로 결정했다. 또한 주변의 공동육아 협동조합에 이 사실을 적극 알리기로 했다.

2001년 8월 5일 성미산 개발 건을 논의하기 위해 마포두레생협 임시 이사회가 긴급하게 개최되었다. 이전 이사회에서의 의견과 지역 내 다른 협동조합 조합원들의 의견을 토대로 김문주가 정리한 제안을 검토하고, '성미산을지키는주민모임(이하 성지모)'을 지역 내 여러 단체가 연합하여 구성할 수 있도록 노력하기로 했다. 김문주의 제안 내용은 활동 가능한 의지가 있는 15~20명 정도로 성지모를 구성하고, 1/3은 성미산 생태조사, 배수지 조사, 한양재단의 토지 보유상의 문제 조사와 아울러 구청과 시에 제출할 성미산에 대한 대안적인 정책 수립을 담당하고, 나머지 2/3는 연대 조직을 결성하는 사업과 더불어 주민 홍보 사업, 서명 운동 등을 일상적으로 전개하는 것을 담당하자는 것이었다. 이후 일정에 따른 역할의 분담은 주민 모임의 결성

경과를 보며 정하기로 하였고, 생협 이사회에서는 박홍섭(이사장), 권규대(이사), 이경란(이사)이 적극 참여하기로 결정했다. 또한 생협 내부에서는 '성미산지키기특별위원회'의 형식으로 구성하기로 했다. 이렇듯 급박하게 사업을 추진하기에 적합한 단위로는 당시에 생협밖에 다른 대안이 없었다.

성미산 개발에 반대하기로 결정한 이후, 실명을 사용하며 마포구청과 서울시를 상대로 사이버 시위를 전개했다. 당시 서울시 홈페이지에 있었던 '시민의소리' 메뉴에 민원을 제기하는 방식인데, 이에 대해 서울시에서는 주민들에게 답변을 주어야 했다. 서울시에서는 ①배수지를 건설하여 깨끗한 수돗물을 24시간 공급할 것이며, ②배수지 구조물 위를 흙으로 덮어서 공원으로 조성할 계획이며(특히 구조물 위를 1.5m 정도의 흙으로 덮고 주민의 필요에 따라 생활체육 시설인 게이트볼장, 배드민턴장, 다목적운동장 등을 만들 계획이었다.), ③2001년 4월에 해당 구역의 사유지에 대한 토지 보상을 완료했으며 2001년 11월경에 착공하여 2004년 12월에 완공할 계획이라고 했다.

2001년 8월 17일 정식으로 '성미산을지키는주민연대(약칭 성지연)'을 구성한다. 참가 단체는 마포두레생협, 우리어린이집, 도토리방과후, 날으는어린이집, 풀잎새방과후(이상 협동조합), 성만교회, 성림사, 신체조교실, 건우회, 나무회, 성미향우회, 성산향우회, 체조교실(이상 성미산 이용 주민단체) 등이 참가했다. 사실 마을 내 각 협동조합에서는 2001년 7월에 개발 사실을 알았지만, 성미산을 이용하는 지역 주민들(주로 어르신 그룹)은 그 사실을 이미 알고 있었고, 성미산 안에 몇 개의 개발 반대 현수막을 설치한 상태였다. 즉, 성미산 이용 주민들의 반대 여론과 움직임이 마포두레생협을 중심(구교선 상무이사가 앞장섰다.)으로 한 체계적인 반대 활동과 서로 결합해서 포괄적인 주민 조직이 만들어진 것이다.

성지연은 협동조합에 소속된 사람들과 지역 주민들이 지역 현안을 계기로 처음으로 접촉하였다는 것을 의미한다. 그동안 협동조합에 소속된 사람들과 지역 주민들은 서로 어떻게 만나야 할지도 몰랐고, 사실 적당한 계기도 없었다. 2001년 5월 5일에 진행했던 '제1회 성미산마을축제'도 지역 주민들의 축제라기보다는 협동조합 내부의 끼리끼리 행사에 불과했다. 이로써 서울시상수도사업본부의 배수지 사업(2001년 11월경 착공, 2004년 12월에 완공 예정)과 한양재단의 아파트 건립[33]을 막아 성미산을 지키자는 지역의 주체 역량이 만들어졌다.

2001년 8월부터 성지연을 중심으로 즉각 반대 서명을 전개했다. 주변 동네는 물론이고, 인근 망원역과 한강시민공원 등 사람들이 많이 모이는 곳이면 모두 찾아가서 서명을 받았다. 이 서명 운동은 2~3개월 지속했는데 서명자가 무려 2만 명을 넘어섰다. 당시로서도 대단한 숫자였다. 또한 서울시와 마포구에 이 서명 용지를 첨부하여 주민 의견서(성미산 생태 보전의 필요성과 친환경적 배수 시설을 요구하는 질의서)를 제출하였고, 감사원에 감사 청구서도 제출했다. 2001년 9월 1일 '생태보전 시민모임'[34]에서는 '성미산 자연 생태 현황조사 보고서'를 작성하여 발표했다. 이 보고서는 성미산 생태의 현황과 보존 이유를 분명하게 밝혀주는 것으로서, 이후 개발 반대 운동의 여러 논리를 세우는 데 아주 중요한 자료로 활용된다.

　이렇듯 긴박하게 돌아가는 성미산 개발에 대응하기 위해 주민들의 여론을 환기하고 힘을 결집할 필요가 있었다. 이에 성지연에서는 2001년 9월 15일 성미산 서쪽에 있는 일명 '비둘기산'에서 '제1회 성미산숲속음악회'를 개최했다. 1,500여 명의 주민들이 참석하여 성황리에 행사를 진행했다. 이러한 문화 행사를 통해 개발 반대 운동을 진행하는 주민들의 힘을 확인하였다. 즉, 협동조합 활동을 했던 사람들이 지역에서 소수가 아니라는 것이었고, 스스로도 자신감을 확인했던 계기가 되었다. 이 숲속음악회는 이후에도 네 차례에 걸쳐 진행되었다.

　2001년 10월 10일 평일 오후에 마포구청이 주최하는 '배수지 설치 설명회'가 마포구청 4층 강당에서 개최되었다. 행사 주관은 서울시상수도사업본부였는데, 이는 주민 설명회를 개최했다는 형식적 절차와 명분을 얻으려는 의도가 분명했다. 이 일방적인 주민 설명회 자리에 성지연이 참석했고, 서울시상수도사업본부의 설명회 이후 질의 시간에 강력하게 문제 제기를 했다. 주민 설명회를 비공개적으로 개최하고자 하는 점과 마포구청의 비공식적 인원 동원에 대한 것이었다. 전체 참석 인원은 190명 정도였고, 주민 설명회는 항의의 목소리로 넘쳐났다.

　해가 바뀌었다. 2002년 1월에 서울시상수도사업본부에서 또다시 주민 설명회를 강행하려고 했다. 지난 2001년 10월에 서울시와 마포구에 주민 서명 용지를 첨부하여 '성미산 생태 보전의 필요성과 친환경적 배수 시설을 요구하는 질의서'를 제출한 바 있으나, 이에 대한 아무런 답변이 없는 상태였다. 주민 50명이 이 설명회장에 참석했고, 항의했으며, 결국 무산시켰다. 이러한 방식의 요식적 설명회는 2002년 7월과 10월 두 차례나 더 시도되었고, 그때마다 주민들이 참여하여 설명회를 무산시켰다.

2002년 8월 16일 성지연 대표단 5인이 박홍섭 마포구청장을 만났다. 개발 반대에 대한 주민들의 입장과 반대 활동을 설명하고, 2002년 6월 지방선거 때에 후보로서 유권자들에게 약속했던 개발 반대 입장을 구체화할 것을 촉구했다. 이에 박홍섭 마포구청장은 성미산 문제에 대해서는 주민들의 상반된 입장도 있다는 점, 구청 예산 확보를 위해 시와의 관계에 대한 어려움을 말하고, 개발 문제에 대해 분석할 시간을 요청했다. 이는 교묘한 말 바꾸기에 불과했다. 그 뒤에 보여주는 마포구청의 입장은 개발을 적극적으로 추진하는 데에 있었다. 이러한 구청장과의 성미산을 둘러싼 대립의 경험은 2010년 제2차 성미산 지키기 운동 과정에서도 재현되었고, 이후 마포구청이 성미산 마을 및 마을 공동체 활동 일반에 대해 호의적인 태도를 보이지 않았던 근본 이유로 작용했다.

2003년 1월 8일에 세 개의 공동육아 어린이집, 마포두레생협, 지역 종교 단체(성만교회, 성림사)와 산악회 등 지역 주민 동아리들이 참여한 성지연에 덧붙여서 성서초등학교 학교운영위원회, 서울환경운동연합, 환경정의, 마포자치연대, 개혁국민정당 마포지역위원회, 민주노동당 마포을지구당, 전국공무원노조 마포지부 등 시민 사회 단체가 대거 합류하여 '성미산 개발 저지를 위한 대책 위원회(이하 성미산대책위. 위원장은 김종호가 맡았다.)'가 확대 구성되었다. 공교롭게도 성미산대책위를 확대 구성한 직후에 벌목 사건이 발생했다.

2003년 1월 29일 설날을 3일 앞두고, 당시 배수지 공사업체인 '효림종합건설'에서 동원한 인부 30여 명이 전기톱으로 성미산 정상부 6,000여 평(배수지 예정지의 2/3 정도)의 30년 넘는 아카시아 나무 2,400여 그루를 벌목했다. 이날의 날씨는 영하 14도였고, 체감 온도는 거의 영하 20도를 넘나들었다. 아침 9시 30분에서 10시 30분 사이, 약 한 시간에 걸쳐 벌어진 사건이었다. 또한 경비 용역 업체인 백송산업개발 직원들은 달려온 주민의 접근을 막아섰고, 마포경찰서 소속 경찰들도 벌목 현장을 지켜보고 있었다. 상황이 종료된 이후 남아 있던 성미산대책위원들과 주민들 20여 명은 곧바로 마포구청을 방문하였고, 외출하려던 구청장과 현관에서 대치하였으며, 30여 분간 격앙된 분위기에서 항의와 변명이 오갔다. 뒤이어 서울시청(당시 이명박 서울시장)으로 항의 방문을 시도했다. 그러나 서울시 측은 당시의 시청 정문과 후문을 모두 막고 아무도 들여보내지 않았다. 서울시 측에서는 '성미산대책위' 대표 5명에게 충정로에 있는 서울시상수도사업본부로 가라는 말만을 되풀이했다.

2003년 1월 29일 벌목 당일 저녁 8시, 생협에서 만든 지역 교육 공간인 '우리마을꿈터(이하 꿈터)'에서 주민들의 대책회의가 개최됐다. 40여 명의 주민들이 모였고, 이 자리에서 '무기한 산상 철야농성', '성미산 24시간 상주', '연휴 반납, 합동 차례'를 결정했다. 밤에는 남성들이 3인 1조로 농성 텐트를 지키기로 했고(저녁 9시부터 새벽 6시까지), 아침 시간에는 산에서 운동을 하는 어르신들이, 오전 10시부터는 동네에 상주하는 여성들이 농성장을 지키기로 했다.

2003년 1월 30일 아침 7시, 성미산 정상부 세 곳에 세 개의 농성 텐트를 설치했다. 기습 벌목에 대한 항의 표시이기도 했지만, 벌목한 나무를 끌어내리는 추가 작업을 감시하고, 이를 즉각적으로 막아서기 위한 대비책도 되었다. 영하 10도를 넘는 날씨를 며칠간 버텼다. 당시 김종호 성미산대책위원장과 함께 농성장을 가동하는 농성 대장 역할을 수행할 사람으로 김경훈(우리어린이집 조합원, 용빈 아빠)이 나섰다. 당시 김경훈은 동대문에서 부모님이 운영하는 옷가게에서 저녁 장사를 맡고 있었기 때문에 낮 시간에는 시간을 낼 수 있었다.

2003년 2월 1일 설날 아침에 각자의 집에서 차례를 지내고 난 뒤 곧바로 성미산 정상에 30여 명이 모였다. '성미산 산제 겸 합동 차례'를 진행했다. 2003년 2월 4일 오전 11시에 서울시청 대한문 앞 광장에서 '주민 동의 없는 배수지 공사 즉각 중단하라'는 현수막을 내걸고 주민 100여 명이 항의 집회를 가졌다. 많은 언론사 취재진이 나왔고, 경찰이 동원되었다. 2003년 2월 8일 저녁에는 성미산에서 야간 촛불 집회를 가졌다. 주민들과 아이들 150여 명이 모였다.

2003년 2월 9일 주민들은 성미산 배수지 재검토 및 환경 친화적 대안 마련을 위한 검토 기구를 구성할 것과 검토 기구의 활동과 주민 의견 수렴을 통하여 최종 결정이 될 때까지 공사를 중단할 것을 서울시상수도사업본부 측에 공식적으로 요구하였다. 2003년 2월 13일에

서울시상수도사업본부에서는 검토 기구에 대한 구체적인 의견 제시나 대화 노력도 없이 주민들의 제안은 장기간의 시간이 소요되어 공사 추진에 막대한 지장을 초래하므로 예정대로 공사를 추진하겠다고 답변했다. 2003년 2월 19일 서울시의회 앞에서 항의 집회를 가졌다. 2003년 2월 20일에는 벌목한 나무를 끌어내리려는 공사업체 직원들과 서울시상수도사업본부의 시도가 있었다. 전기톱과 포클레인 두 대를 동원하여 성미산 북면의 약수터 옆으로 진입을 시도했다. 전기톱은 그렇다 치더라도 포클레인이 산으로 진입하면 순식간에 산을 헤집고 다닐 판이었다. 한번 산이 망가지면 돌이킬 수 없기 때문에 포클레인 진입을 결사적으로 막지 않으면 안 되었다. 농성장에서 철야를 한 세 명의 남성이 급한 김에 포클레인에 매달리고 앞에 드러누워 약 30분간을 버텼다. 이어 비상 연락을 받고 합세한 주민들 50~60명이 나타나자 업체와 서울시상수도사업본부는 철수했다.

2003년 3월 7일 마포구청장 방문, 3월 10일 서울시상수도사업본부 방문, 3월 12일 서울시청 방문 및 기자회견을 연이어 강행했다. 이유는 서울시상수도사업본부의 공사 강행과 이를 저지하는 주민들 사이에 불상사가 발생할지 모른다는 우려 때문이었다. 3월 12일 서울시청 앞에서 기자회견을 하고 나서 인근에 있는 배수지 공사 현장사무실의 움직임이 분주해진 것을 발견했다. 대책위원회는 긴급하게 대비책을 강구하고 약수터 옆 성미산 북면 진입로에 사람을 배치하여 밤새워 지켰다.

2003년 3월 13일 목요일 아침 6시경 드디어 일이 크게 터졌다. 서울시상수도사업본부와 공사업체에서 동원한 용역들 100여 명이 하얀 헬멧을 쓰고 나타났다. 농성장과 약수터 옆 진입로에서 밤을 새운 20명의 남성들이 스크럼을 짜고 진입로를 막아섰다. 곧이어 몸싸움이 있었고, 용역들이 주민들을 한 사람씩 끌어내기 시작했다. 대책위원회에서 미리 준비한 카메라가 계속 근접 촬영을 했다. 30분 정도 지나자 급하게 뛰어온 주민들이 100여 명 되었다. 진입로 입구에서 실랑이가 진행되었고, 용역들의 살벌한 욕설이 난무했다. 정오까지 이러한 대치가 계속되었다. 그러다 슬슬 용역들이 빠지기 시작했고 포클레인도 이동하기 시작했다. 다른 곳으로 진입하려는 것을 직감했다. 여성들 중심의 인원을 약수터 쪽에 남기고, 남성들은 성미산 남사면 방면으로 급하게 산을 넘어 이동했다. 아니나 다를까 포클레인과 용역들이 그곳으로 진입을 시도했다. 성미산 남사면 진입로 입구에서 커다란 충돌이 발생했다. 진입을 시도하는 포클레인을 몇 명의 남성들이 올라탔고, 나머지는 스크럼을 짜고 용역의 진입을 막아섰다. 이러한 시도는 오후 5시 무렵까지 두세 차례 계속되었다. 다치는 사람들이 속출했다.

　문제가 심각해지자 몇몇 사람들이 청와대(당시 노무현 정부가 막 출범한 상태였다.)와 언론사 등에 전화를 걸었다. 그동안 주변에서 지켜보기만 하던 경찰들이 충돌을 우려하여 주민들과 용역들 사이로 끼어들었다. 일단 두 세력을 분리하겠다는 것이었다. 이러한 행동은 결과적으로 주민들에게 유리하게 작용했다. 용역들이 경찰을 상대로 험악하게 행동할 수 없었던 것이다. 이렇게 열두 시간을 버틴 결과 오후 6시

무렵이 되자 용역들이 퇴근을 해야 했고, 결국은 모두 철수했다. 이렇게 해서 3월 13일의 대충돌은 끝이 났다.

　2003년 3월 14일에 재미있는 사건이 발생했다. 당시 이명박 서울 시장은 대구지하철 사고 이후 승객이 줄자 이를 명분으로 지하철 출근을 하고 있었다. 아침 7시 20분경 지하철로 출근하던 이명박 시장과의 면담을 시도했다. 어른들 여섯 명(김효진, 손정현, 전민성, 구교선, 이경란, 신상열)과 아이들 두 명(주재현, 박상호)을 포함해서 모두 여덟 명이 미리 준비한 작은 현수막을 펼쳐들고 이명박 시장에게 따져 묻기 시작했다. 그리고 미리 준비해간 관련 자료(성미산의 이전 모습과 벌목 이후의 사진들, 그리고 '성미산 배수지 재검토 요청 자료집' 등)를 전달했다. 2003년 3월 14일에 이 면담 사건이 오마이뉴스에 보도되었다.[35] 이날 저녁 지하철 망원역 입구에서 홍보를 진행했다. 3월 13일에 있었던 일을 영상으로 틀었다. 2003년 3월 19일 저녁 7시 마포구청에서 주민 150여 명과 함께 마포구청장 면담을 진행했다. 그 자리에서 세 가지 사항을 약속받았다.

　① 주민 대표와 전문가를 포함하는 검토 기구 구성을 위해 우선 　'조정위원회'를 만든다.
　② 구청장은 서울시상수도사업본부에 서면으로 공사 중단을 요 　청한다.
　③ 성미산대책위원회와 마포구청장이 다시 만난다.

　2003년 3월 30일에는 1월 29일 기습 벌목으로 인해 심각하게 훼손당한 성미산을 복원하기 위해 '제1회 성미산 가족나무심기' 및 '제3회 숲속음악회'를 개최했다. 천막 농성 60일째였으며, 이날 행사에는

600여 명이 참석했다. 특히 이날에는 벌목으로 인해 쓰러진 아카시아를 깎아서 만든 마을장승을 성미산 정상부에 세웠다. 이는 처음으로 세운 것이었고, 현재까지 모두 세 차례에 걸쳐 장승을 계속해서 세우고 있다. 2003년 4월에는 '성미산 환경파괴 및 성미산 배수지 재검토를 위한 2차 주민서명 운동'을 다시 시작했다. 그때까지 수많은 요구와 대화를 시도했지만 서울시와 마포구청은 요지부동으로 움직이지 않았고, 계속 공사를 강행하려고 했기 때문이다.

2003년 4월 무렵 성미산대책위원회는 서울시상수도사업본부에 서울시 배수지 현황과 수돗물 공급 등과 관련한 '행정정보 공개' 청구를 했다. 정보 공개 청구 결과 아주 중요한 내용이 발견되었다. 배수시설이 이미 충분하게 가동되고 있다는 것이다. 이것은 획기적인 내용이었으며, 그동안 성미산대책위원회가 서울시에 요구했던 내용은 "배수지는 인정하되 좀 더 친환경적인 방식, 즉 산도 살리고 원활한 급수도 해결하는 방식을 전문가와 함께 검토할 것"이었다. 즉, 배수지 건설을 전제로 해서 좀 더 다른 대안을 검토하자는 것이었는데, 정보 공개 결과 배수지 건설 자체가 이미 필요 없었던 것이다. 대반전이 이루어질 수 있는 내용이었다.

2003년 5월 17일, 일련의 움직임에 분기점이 되는 날이었다. 드디어 성미산 지키기 운동에 있어서 가장 중요한 반전의 열쇠를 잡을 수 있는 기회가 다가왔다. '성미산 배수지 사업 타당성 여부와 환경훼손 문제에 대한 공청회'가 개최된 것이다. 산상 농성 120일째 되는 날이었다. 구청에서는 통반장 라인을 통해 500여 명을 동원했고, 성미산대책위원회 측도 500명이 참석했다. 그야말로 양측이 벌이는 총력전 양상이었다. 특히 2002년 6월 지방선거 때 마포구청장 후보 공약으로 내세운, 반드시 성미산을 지키겠다는 약속조차 무시하고 배수지 건설을 밀어붙이는 상황이 아닌가. 마포구청은 모든 행정체계(구청 직원, 동사무소 직원, 통반장, 주민자치위원회, 각종 관변단체)를 총동원하여 배수지 찬성 서명을 받고, 서울시상수도사업본부의 배수지 관련 홍보물 또한 통반장을 통해 가가호호 배포하기까지 했으며, 이날 공청회 때도 구청의 차량을 이용하여 조직적으로 사람들을 동원했다. 성미산대책위원회 측은 다음과 같이 주장했다.

"성미산 배수지 계획은 서울시가 10년 전 잘못된 수요 예측으로 과다하게 계획한 배수지 중 하나이며, 2002년 말 현재 서울시 배수지 용량은 합계 214만 톤으로 환경부가 권고하는 8시간 분을 넘어 12시간 분이 이미 확보되어 있다. 마포구의 7개 동을 포함한 서북 지역의 경우에는 서울시 평균을 넘는 15시간 분이 건설되어 있다. 2002년 감사원의 지적을 받자 서울시는 향후 계획된 100만 톤 중 50만 톤 이상의 배수지 계획을 축소, 폐지하기도 했다."

다시 말해, 배수지 건설을 백지화해야 한다는 것이다. 이 공청회에서는 성미산대책위원회 측이 결정적으로 승기를 잡으면서 지역 여론을 유리하게 돌려놓았다.

2003년 5월 24일 토요일 제3회 성미산마을축제 전야제 성격으로 제4회 숲속음악회가 성미산 남사면 계단 무대 쪽에서 진행됐다. 성미산 지키기 과정을 담은 다큐영화「우리 산이야」가 상영됐고, 마을 주민 밴드 '마포스'의 화려한 공연이 있었다. 약 500명의 주민이 참석했다. 공연장은 어린이집 조합원들이 동원되어 직접 설치하고 철거했다. 5월 25일에는 오전 11시부터 '성미산 한바퀴'를 시작으로 해서 오후에는 각종 놀이마당(씨름대회, 인간장기놀이, 민속놀이마당)이 진행됐고, 오후 4시에 달리기 릴레이와 줄다리기를 끝으로 행사가 마무리되었다. 이날 특히 성미산에서 잘린 나무로 만든 목걸이가 인기를 끌었다.

이제 단판 승부를 하자는 제안이 왔다. 서울시상수도사업본부와 마포구청은 마지막 반전을 시도했다. 이른바 주민 여론조사를 명분으로 하기 위해 전화 여론조사를 2003년 5월 25일과 26일에 마포구 7개 동(동교동, 서교동, 합정동, 망원1동, 망원2동, 연남동, 성산1동)에 거주하는 성인 700명을 표본수로 해서 실시한 것이다. 이는 사전에 상호 합의된 바가 아니었다. 5월 17일 공청회에서 일방적으로 밀리자 반전의 명분을 삼기 위해 여론조사를 강행한 것이다. 배수지 공사 찬성이 우세하면 이것을 근거로 해서 또다시 밀어붙일 계획이었다. 또한 이명박 서울시장도 아래와 같은 공문을 통해 주민들의 뜻을 존중하겠다고 밝히면서 여론조사에 힘을 실어주었다.

"본 배수지 건설 사업은 지역 주민들을 위한 사업이기에 지역 주민들의 뜻이 무엇보다 중요하다는 것을 말씀드리고 싶습니다. 따라서 지역 주민들의 뜻이 배수지 건설을 반대하는 것이라면 저는 주민들의 의견을 존중하여야 된다고 생각합니다. 그래서 해당 구청인 마포구청장에게 마포구 주민들의 의견이 무엇인지 의견을 수렴하여 달라고 요청하였으며, 현재 주민 의견 수렴 과정에 있는 것으로 알고 있습니다.

저는 이 결과에 따라 배수지 건설 사업 여부를 결정하려 하니, 귀 대책위원회에서도 주민 의견 수렴 과정에 참여하여 의사를 충분히 전달할 수 있기를 바랍니다."

그러나 성미산대책위원회에서는 양 주체의 찬반이 명확한 데다가 주민들이 제한된 정보를 가지고 있음으로 인해 여론조사를 추진하는 측이 매우 유리한 조건을 가지고 있는 것이므로, 여론조사 자체가 공평하지 못함을 들어 반대했다. 그럼에도 불구하고 여론조사 결과는 93%가 성미산 보존에 찬성하였다. 구체적으로 보면, 성미산 배수지 건설과 관련해 지역 주민의 의견은 45.0%가 배수지 건설을 찬성하였고, 반대는 45.7%로 나타났다. 반대 의견이 근소한 차이로 더 많았다. 또한 문제 해결을 위한 최선의 방안으로는 '서울시 계획대로 추진'이 17.3%에 불과했다. 여론조사에서조차 서울시와 마포구청이 패배한 것이다.

2003년 6월 11일 문화재청이 서울시상수도사업본부에 문화재 관련 "지표 조사 뒤 사업을 착수하라"는 행정 명령을 내렸다. 서울시상수도사업본부의 입장으로서는 갈 길이 멀고 바쁜데 설상가상이었다. 2003년 6월 17일 '성미산 배수지 철회를 위한 서울시청 앞 기자회견'을 열었다. 계속해서 정치적 압박의 수위를 늦추지 않았다. 2003년 7월 29일 서울시의 성미산 배수지 건설 사업이 '함께하는시민행동'에서 수여하는 '밑 빠진 독상'을 수상하였다. '함께하는시민행동'은 정부 예산 감시 전문 시민단체였고, 이 분야에서 영향력과 공신력이 컸다. 그런 시민단체에 의해 불필요한 사업에 서울시 예산을 낭비하는 사업으로 낙인이 찍혔고, 이를 언론에서 크게 다루었다.

2003년 10월 16일 서울시상수도사업본부는 서울시의회에서 공식적으로 성미산 배수지 사업을 철회한다고 밝혔다. 드디어 기나긴 싸움이 끝난 것이다.[36] 2003년 11월 8일 토요일에 '성미산 배수지 공사 중단 기념 마을 잔치'가 열렸다. 지역 주민들만의 힘으로 성미산을 지키는 것은 현실적인 어려움이 존재했다. 그동안 환경단체도 없었고, 전문적인 영역에서 다뤄져야 할 문제도 있어 매 시기마다 해당 전문가나 단체의 자문을 구했다. 초기에는 '생태보전시민모임', '환경정의 시민연대' 등의 도움을 받았고, 서울시립대와 건국대 교수의 자문도 커다란 힘이 되었다. 또한 성미산대책위원회로 조직을 확대하면서 '서울환경운동연합' 등 환경단체의 지속적인 도움도 받았다. 그리고 다른 지역 사례를 접하면서 우리 지역 특성에 맞는 활동을 펼친 것도 중요했다. 2001년에는 많은 사람들이 배수지가 무엇인지조차 몰랐고, 심지어는 유수지와 비슷한 걸로 아는 사람도 있었다. 하지만 일본의 사례와 다른 지역의 사례를 파악하면서 많은 도움이 되었다. 특히 2003년 5월 17일 공청회를 준비하는 과정에서 교수와 전문가들이 내용적인 도움을 주면서 서울시 배수지 정책의 근본적인 문제를 많은 지역 주민에게 알릴 수 있었고, 이는 결정적으로 서울시의 정책 추진에 문제가 있음을 대내외적으로 알린 계기가 되었다.

마을기업

'마을기업'이라는 용어는 커뮤니티를 기반으로 하는 작은 가게나 기업이라는 뜻으로 성미산마을에서 편하게 불렀던 것인데, 이제는 공식 행정 용어가 되었다. 최초에 동네부엌을 만들 때에는 마을기업이 정부 정책으로 추진될 것이라고는 꿈에도 상상하지 못했다. 마을기업은 드높은 가치를 추구하는 심오한 의도로 추진한 게 아니라 그저 일상의 사소한 필요와 욕구를 실현하고자 추진했을 뿐이다.

반찬가게를 만들자고 마음먹은 직접적인 계기는 2002년 초 SBS TV의 '잘 먹고 잘 사는 법, 식사하셨어요?'라는 기획 방송물이었다. 육식과 대량 축산, 패스트푸드의 문제점을 고발한 다소 충격적인 다큐멘터리를 보던 김효진(짱아, 도토리방과후 조합원, 생협 조합원, 짱아공방 대표)의 머릿속에 반찬가게 아이디어가 떠올랐다. 김효진은 2002년 1월 14

일 마포두레생협 자유게시판에 '반찬공급소'를 제안하는 글을 올렸다. 생협의 친환경 식재료를 가지고 맛있는 반찬을 만들어 제공하면 맞벌이 부부의 가사노동과 가족의 외식을 줄이는 데 기여할 것이라는 주장이었다. 이 제안에 생협 조합원들의 적극적인 호응이 있었다. 이어 2002년 2월 20일 반찬공급소 첫 모임을 가졌다. 생협 게시판의 '요리조리코너'에서 의견을 교환하면서 2002년 5월 첫 공급을 시작했다. 자기 집 부엌을 동네부엌으로 내주고 조리를 기꺼이 맡아준 안희정(마법사, 조합원), 회원 및 식단 관리를 해주는 박미현(에이미, 영양사, 도토리방과후 조합원), 최초의 제안자이자 꼼꼼하고 엄격한 도우미 김효진, 조리 도우미로 소매를 걷어붙인 이애숙(선녀, 생협 이사) 등이 직접 나섰고, 생협 사무실 한쪽에서 반찬을 나누면서 1년여 동안 예비 운영을 했다.

2002년 5월부터 가정집 주방에서 시작한 반찬공급소 사업은 본격적인 창업으로까지 확장된다. 박미현이 책임 경영자로 나서고, 여러 사람들이 공동으로 출자를 했다. 박미현이 1,000만 원을 출자했고, 이숙경(오소리), 나선미(엄지), 강순옥(바람), 강미숙(장미), 김혜장(돌고래), 유현(지구인), 박지현(청바지)이 각각 500만 원씩을 출자하여 초기 자금 4,500만 원으로 2003년 11월 5평 규모의 매장(서울 마포구 성산동 293-6)을 마련했다. 이윤이 발생하면 공동 출자자에게 30%, 대표 운영자에게 30%, 재투자에 30%, 동네 발전기금에 10%를 분배하기로 했다. 그러나 이윤을 창출하기에는 역부족이었다. 적자가 누적되었고 사업은 여러 우여곡절을 겪었다. 동네부엌은 마포두레생협에 이은 두 번째 마을기업이다. 동네부엌의 준비와 탄생을 보면서 이후에 여러 마을기업 시도들이 잇따랐다. 성미산마을 역사에 있어서 대단히 중요한 실험이었다.

2003년 11월 1일에 성미산차병원생협이 자본금 1억 2000만 원(출자금 1구좌에 10만 원)에 발기인 81명으로 창립총회를 열었고, 11월 24일 개업식(서울 마포구 망원1동 397-17)을 진행했다. 국내 최초의 조합형 자동차정비업소였고 상무 1명과 정비사 2명으로 출발했다. 마포두레생협과 동네부엌에 이어 세 번째로 만들어진 마을기업이었다. 차병원에 대한 아이디어는 2003년 2월 어느 날 밤 성미산 지키기 농성 텐트 안의 추위를 잊기 위해 만든 술자리에서 나왔다. 우연히 자동차와 관련한 이야기를 하게 되었는데, '안심하고 맡길 카센터가 없다'는 의견이 쏟아졌다. 몇 번의 이야기 과정에서 정말 필요하니 '한번 해보자'는 의견이 모아졌다. 그리하여 2003년 5월 20일 관심자 회의가 있었고, 5월 31일 정식으로 준비위원회를 구성했다. 이 논의는 진상돈(상무이사)과 김성섭(이사장) 등 날으는어린이집과 풀잎새방과후 조합원 출신이 주도했다. 이 차병원은 다른 일반 정비소에 비해 수리비가 저렴하지는 않지만 차량 수리 내용을 공개하고 원가와 공임 등을 투명하게 밝히며, 꼭 필요한 부분만 수리하고 정품만을 썼다.

네 번째 마을기업이 되는 그늘나무 아이스크림가게의 우여곡절은 이러하다. 유기농 아이스크림 가게를 만들자고 용감한 다섯 명의 엄마들이 작당을 했다. 동네 어귀 아이들이 자주 다니는 길목에 가게를 얻었다. 이것이 2004년 5월의 일이다. 그러나 다섯 명의 엄마 사장님들 사이에 의견이 엇갈리고, 조정이 쉽지 않았다. 아이들을 돌보며 동업으로 창업을 하자니 갈등이 생기는 것은 당연했다. 개업도 하기 전에 폐업 위기가 왔다. 결국 다섯 명의 출자자 중에서 운영은 한 사람이 맡아서 하기로 했다. 작은 가게 공간은 아이스크림에 커피가 더해져서 엄마들은 잠시 아이들을 맡기기도 하고, 이 사람 저 사람 소식을 주고받는, 말 그대로 '마을사랑방'의 공간으로 확장되었다.

그러나 운영은 여전히 어려웠다. 이후 무려 2년 10개월을 버틴 강미숙은 2007년 3월 그동안 어렵게 운영해오던 가게를 결국 폐업하기로 마음먹었다. 이 소식을 들은 유창복과 정현영(현영, 성미산학교 교사)이 강미숙을 찾아가 폐업을 하지 말고 시설을 마을에 기부해줄 것을 요청했다. 이미 가게 공간이 마을사랑방의 역할을 하고 있었기 때문에 이를 계속 살리는 것이 더 좋겠다는 판단에 강미숙은 시설 일체(시설과 인테리어, 에스프레소 머신 등 개업 당시 기준으로 시가 5,000만 원 정도)를 흔쾌히 기부하기로 결정했다. 성미산학교 교사들은 대안학교 청소년들의 경제 교육 및 진로 모색 프로그램인 '일 센터'의 인턴십 현장으로 이곳을 활용하고 또 장애 학생을 위한 전환 교육 프로그램을 운영하는 공간으로도 활용해보고 싶어 했다. 그래서 성미산학교 교사들 열한 명이 각각 100여 만 원씩을 출자해서 이름을 '작은나무'로 바꾸어 재개점했다. 공간은 그대로였고, 교사들이 서로 돌아가면서 가게를 운영하기로 했다.

그러나 수업과 경영의 이중 부담으로 인해 운영은 계속 어려워졌다. 작은 평수의 매장에서 아무리 노력해도 매출이 어느 수준 이상을 넘지 못했다. 또다시 위기가 찾아왔다. 2007년 3월에 교사들에 의해

다시 문을 연 가게는 여전히 운영에 어려움을 겪었다. 2008년 상반기에 다시 판단을 내려야 할 시점에 사람과마을에서 마을기업 경영지원 사업으로 선정하고 총체적인 경영 진단을 했다. 그 결과 매장 확장과 운영진의 안정화가 필요하다는 결론을 얻었다.

2008년 5월 기존 운영진인 교사들이 물러나고 새로이 작은나무 3기 운영위원회를 구성했다. 2008년 6월 작은나무 리뉴얼 확장을 결정했고, 때마침 옆 가게인 똑같은 평수의 '들머리식당'이 임대로 나와 그것을 7월 31일 임대했다. 8월 한 달 동안 공사를 진행한 덕분에 매장의 평수는 두 배로 늘어났으며 가게 인테리어를 전면적으로 바꾸었다. 이를 위해 1구좌 5만 원의 소액 주민 출자를 받았다. 동네 엄마 여덟 명으로 구성된 새로운 운영위원들은 1인당 100만 원 이상을 출자하였다. 소액 주민 출자에는 초기에 70여 명이 참여했다. 거기다 마포두레생협과 성미산대동계가 500만 원씩 기관 출자를 했고 성미산학교를 공사했던 자담건설은 500만 원 상당의 인테리어 공사를 기부했다. 모두 3,000여 만 원의 출자금이 모였다.

2008년 8월 28일 임시 개점을 했다. 메뉴도 아이스크림에서 커피를 메인으로 했고, 아이스크림은 서브로 두었다. 아이스크림을 없애기에는 이미 아이들의 선호 메뉴로 자리 잡았기 때문이다. 뒤이어 9월 10일부터는 맥주 등 술도 판매하기 시작했다. 또한 작은나무 축하 음악회, 금요 캔들나이트 행사 등이 시작됐으며, 어린이 시와 그림 공모전 이벤트도 진행했다. 2008년 10월 10일 작은나무 카페 3기를 알리는 출자자의 밤 행사를 열어 고사를 올리고 축하공연도 펼쳤다. 이

때는 김용양이 운영위원장으로 나서서 주도적으로 진행했다. 2013년 8월에는 정식 협동조합으로 법인 전환하였다.

2007년 7월 16일 카셰어링을 모색하기 위한 모임도 처음 열렸다. 이날 모인 일곱 명은 일단 차량 네 대(티코, 세피아, 카니발, 아반테)를 그대로 사용하고 세 대는 처분하기로 했다. 일곱 대의 차량이 네 대로 일단은 줄었다. 8월 9일 카셰어링 2차 정기회의가 열렸고, 차량 네 대 중에서 현실적으로 사용 가능한 카니발과 세피아 두 대만을 사용하기로 하였다. 또한 차량 한 대당 다섯 가구가 사용하는 게 적당할 것이라고 판단했다. 연회비는 20만 원(보험료, 자동차세, 감가상각비 고려)으로 정했고, 초기 가입비 10만 원, 사용료는 별도로 하기로 정했다. 일단은 3개월 동안 시범운영을 해보기로 했다. 성미산마을에서 카셰어링 사업을 진행할 수 있었던 것은 환경과 관련한 오랜 실천이 있었기 때문이다.

2004년 6월 녹색사회연구소와 마포두레생협이 함께 진행했던 '생태마을만들기' 프로젝트가 성과를 나타내기 시작했다. 2004년 12월 3일에 있었던 마을송년회에서 '마을헌장'을 채택하고 생태 관련 활동을 전개하기로 한 바가 있었다. 또한 2005년 2월 1일 주민환경모임인 '멋진지렁이'가 공식적으로 출발했다. 안전한 골목길 만들기 차원에서 2005년 10월에 골목길 축제를 열었고, 특히 안전한 자전거도로 여건 만들기 활동을 기반으로 길이라는 선적인 접근뿐 아니라 생활공간이라는 면적인 접근을 고려하게 되었다. 인근 주택가를 차 없는 주거단지로 전환하는 개념이 도입된 것이다.

이러한 맥락에서 2006년 10월에는 멋진지렁이와 녹색사회연구소가 함께 독일의 생태도시, 차 없는 주거단지와 카셰어링 단체를 방문했다. 이는 골목길 안전의 필수 요소인 자동차 문제에 보다 근본적으로 접근하는 계기가 되었다. 골목길 안전성을 확보하기 위한 구체적인 실천 프로그램으로 카셰어링 사업을 도입하기로 한 것이다. 2003년 11월에 만들어진 카센터 협동조합 '성미산차병원'은 차량 관리 및 운행에 대한 전문 지식을 지원하는 등 많은 도움을 주었다. 2006년 11월 27일에는 '차 없는 주거단지를 위한 마포 주민 토론회 및 독일 생태 주거단지 답사 보고회'를 녹색사회연구소, 서울시, 마포구 등이 참여한 가운데 마포구청에서 개최했다. 2007년에는 사단법인 사람과마을이 만들어졌고, 카셰어링 사업을 추진할 주체를 멋진지렁이에서 사람과마을의 환경분과 사업으로 이관하여 추진했다.

2007년 10월 7일 성미산마을 가을운동회 마지막 순서로 '성미산 카셰어링' 차량 고사를 지냈다. 처음 시작할 때는 여섯 명이었고, 이후 열 명까지 늘어나기도 했다. 이로써 한국에서 최초로 카셰어링이 정식으로 시작되었다. 그러나 자동차두레라고 이름 지었던 이 사업은 2009년 2월에 차량을 폐차하고 난 뒤에 신차를 구입하지 못해 해산될 수밖에 없었다.

오랜 준비 끝에 2007년 3월 24일 성미산대동계를 창립했다. 곗돈은 매월 3만 원이나 5만 원, 7만 원, 10만 원 등 형편껏 내도록 했고, 그중에서 2만 원은 친목회비 명목으로 제외하고 나머지는 적립했다. 친목회비 항목은 마을의 주요 행사(대보름 지신밟기, 마을운동회, 마을성

인식, 김장 등)에 지원하거나 계원들 친목 도모를 위한 나들이 비용으로 사용되었다. 또한 계원 대출도 시행하는데, 500만 원 한도 내에서 약 6% 이자로 대부한다. 마을 단체에는 연 7% 이율로 대부(출자)도 한다. 작은나무 카페와 되살림가게에 각각 500만 원씩 출자했다.

2008년 1월 '한땀두레' 작업장을 서울 마포구 성산동 245-44 호 '되살림가게' 안쪽에 마련했다. '한땀두레'란 바느질로 만들 수 있는 것을 생산해서 판매하는 '일 공동체(Worker's Collective)'이다. 2007년 5월의 성미산마을축제를 앞두고 축제집행위원회는 주민들이 퍼포먼스를 기획해서 신청하면 축제 메인무대에서 공연하도록 하겠다고 제안했다. 딱 두 달만 고생하자는 것인데, 이것이 이른바 '두 달 작전'이다. 이때 마포두레생협의 몇몇 조합원들이 '바느질 소모임'을 구성했다. 초기 멤버는 이명희(민들레, 마포두레생협 이사장), 성숙창(가을, 마포두레생협 이사), 강남임(행수님, 마포두레생협 조합원)이었다. 이후 사람들이 늘어나서 5만 원씩 여덟 명이 출자를 했고 한 명이 재봉틀을 현물 출자했다. 그 자금으로 원단과 재료를 구입해서 성숙창의 집 지하에서 시작했다. 이때 '두 달 작전'에 참가했던 인원은 모두 아홉 명이었다.

2007년 10월에는 마포두레생협에 '면개짐(생리대)'을 공급하기 시작했고, 11월에는 '메밀베개'를 공급했다. 그 후 2008년 1월 작업장을 내고, 사업을 시작하면서는 강남임과 이명희, 성숙창 등 세 명이 정두레원으로 일했다. 그 후 강남임과 이명희가 사정으로 그만두었고, 권은자(처음처럼)와 백순임(선물)이 합류했다. 2012년에는 더 줄어들어 성숙창과 권은자 둘이서 운영했다. 2009년 4월에는 두레생협연합회에 정식 생산자로 인정을 받았고, 생산물을 납품하기 시작했으며, 매출도 늘어났다. 주요 생산품은 메밀베개와 면 생리대, 면행주, 앞치마, 파자마 등이다. 그러나 불규칙한 주문과 새 상품을 개발할 여력이 부족하여 2010년 11월에는 되살림가게 안쪽에 있는 공간을 포기하고 작업장을 개인 집으로 이전했다.

2008년 12월 20일 비누를 만들어 판매하는 일 공동체 '비누두레'가 정식으로 출범했다. 비누두레에서 생산하는 품목들은 수제숙성비누(홍삼비누, 어성초비누 등), 아로마용품(모기 스프레이, 손 소독젤, 살균 스프레이, 바스볼 등) 등이다. 비누두레는 조수강이 주도했다. 먼저 시작했던 한땀두레를 옆에서 지켜보면서 자신감을 얻었고, 때마침 마포두레생협 내에 두레지원센터가 생긴 것이 큰 힘이 되었다. 조수강은 비누에 대해서 오래전부터 관심을 가지고 있었다. 2005년에는 조합원 강좌를 열었고, 그해의 마포두레생협 우수조합원으로 선정되기도 했다. 2006년 2월 마포두레생협 총회 때 참석 조합원들에게 주는 단체 선물로 비누가 채택되었다.

2007년 5월에는 성미산마을축제에 참가하였고, 그 직후에 마포두레생협 성산점 매장에서 비누를 판매하기 시작했다. 2008년 12월 비누두레가 정식으로 출발할 때는 이재은(기차, 마포두레생협 생활재위원)과 김선주(여여, 자주관리사)가 합류하여 세 명이 되었고, 각각 200만 원씩 출자를 했다. 작업장은 보증금 1,000만 원에 월세 30만 원짜리를 구했는데, 출자금이 부족하다 보니 조수강이 1,000만 원을 빌려주는 것으로 했다. 2009년 2월 비누두레가 정식으로 사업자등록(제조업)을 마쳤다. 두레생협연합회에 정식 생산자 등록을 했고 비누 제품 납품 인증을 받았다. 즉, 생활재를 납품하는 생산자로서 인증을 받은 것이다. 두레생협연합회는 전국의 두레생협 단위 매장 50여 군데에 생활재를 공급한다. 2009년 6월부터 상시적으로 두레생협연합회에 비누 제품을 납품하기 시작했다. 그러나 정식 사업체로서의 전문성이 부족해서 많은 시행착오를 겪었다. 연간 예산을 세우는 일, 장부를 작성하는 일, 구성원 사이에 업무를 나누는 일 등에 관해 특별한 규정이 없었다. 주문 상품에 대한 제작은 맞춤형인데, 그 결과물은 공장형으로 말끔하게 나와야 했다. 생협의 두레지원센터에서 베이스캠프 역할을 해주어야 하는데, 그러하지 못해서 거의 모든 일을 직접 해결해야 했다. 사업자로서의 전문적인 교육이 필요했다.

성미산마을에서 공동주택에 대한 논의는 2001년부터 2003년 사이에 성미산마을 초기 멤버들 10여 가구가 모여 시도한 적이 있었다. 그러나 월드컵으로 인해 부동산 가격이 급격히 상승한 탓에 대상 부지를 구하지 못하여 무산되고 말았다. 부동산 경기 활성화가 갖는 부익부 빈익빈 현상의 결과라고 볼 수 있었고, 이는 도시의 지역공동체 건설에서 가장 큰 걸림돌로 작용하는 것이었다. 지역공동체를 만드는 데는 마을 주민들이 정착할 필요가 있는데, 언제나 높은 임대료와 부동산 가격이 문제였다. 2008년 4월 마을에서 참나무어린이집 출신이 주도하고, 네 가구가 참여하여 마포구 성산동에 있는 단독주택을 매입(2007년 8월)한 뒤 처음으로 공동주택을 짓기 시작했다. 2008년 12월에 주택을 완공했고, 2009년 2월에 등기를 완료했으며, 열여섯 명이 거주했다. 이들이 공동주택 건축 과정에서 발생하는 의사소통, 시간과 비용 등 여러 문제를 경험한 최초의 집단이었다. 당시에는 공동주택을 코디해주는 전문가나 업체가 없었기 때문에 건축 과정에서 발생하는 거의 모든 문제를 당사자들이 직접 해결할 수밖에 없었다. 거의 비슷한 시기에 성산동에서 두 번째 공동주택이 추진되었다. 성미산 어린이집 조합원 중 네 가구가 2007년 여름 무렵에 첫 논의를 시작해서 2008년 봄에 부지를 매입했고, 2008년 11월에 착공했다. 이후 첫 번째 공동주택보다 빠르게 5개월 만에 완공했고, 2009년 4월에 입주했다. 모두 열네 명이 거주하고 있다. 이렇게 비슷한 시기에 공동주택 두 곳이 주변 사람들의 많은 관심 속에서 만들어졌고, 그 과정에서 경험한 것들이 이후 공동주택 전문 시행사를 만드는 데 결정적인 도움이 되었다. 즉, 당사자 중심의 공동주택 추진 과정에서 겪는 수많은 시행착오를 간접 경험하게 된 것이다.

이렇듯 다양한 형태의 마을기업이 폭발적으로 늘어난 근본 이유는 마을적 관계망을 배경으로 개인이나 작은 집단이 가지고 있는 다양한 '욕망'을 실제로 현실화시킨 덕분이다. 즉, 욕망은 누구나 가질 수 있으나 이를 실제로 만들어낸 것은 커뮤니티가 사회적 인프라로 존재했기 때문이다. 마을에서는 마음먹은 것은 무엇이든 실현할 수 있다. 즉, 성미산마을 사람들이 독특한 게 아니라, 그 시스템이 독특한 것이다.

chapter

3

권위의 형성

학교를 만들자고 몇 사람이 모여서 '으샤으샤' 하면 뭔가가 되는 줄 알았다.
당시에는 대안학교가 여러 곳에서 만들어지고 있었던 터라
마음만 먹으면 쉽게 만들어지는 줄 알았다.
어떤 학교를 어떤 과정을 통해서 만들어가는지에 대해 사실 막막했다.
학교의 성격은 다양한데 어떤 기준으로 선택해야 할까?
사람들을 어떻게 모을까? 누가 교사를 하며 돈은 어떻게 모을까?
난관에 봉착했을 때는 돌파구가 필요하다.

작당하다

1990년대 후반기부터 시작되었던 대안학교가 2000년대 전반기에 이르자 관심이 폭발했다. 이곳저곳에서 다양한 형태의 대안학교들이 만들어졌다. 분위기를 탈 때는 없던 의욕도 샘솟는다. 2003년에 접어들자 우리어린이집의 조합원 일곱 가구가 경기도 양평에 신설 중이었던 푸른숲학교에 아이들을 보내려고 했다. 무려 일곱 가구가! 이리 되다 보면 마을이 점차 흩어지는 게 아닌가? 괜한 걱정은 아니었다. 그래서 생각했다. 이곳에다 학교를 콱 만들어버려? 이건 '무모한 도전'이었다. 이러한 움직임은 2001년 말부터 있었다. 그해 11월 '대안중학교를 모색하는 아빠들 모임'이 있었다. 이것은 사실 대안학교에 관심 있는 사람들(관심자) 10여 명의 느슨하면서도 합법적인(!) 술자리 모임이었다. 집 근처 동네에서 술을 마시면 배우자의 드넓은 아량을 기대할 수 있다. 이 모임은 2002년 2월경까지 2~3개월 동안 진행되다가 마포두레생협 부설 교육문화공간(이후 우리마을꿈터로 개관했다.)을 마련한 뒤 이 공간을 활성화하자는 데에 의견이 모아지자 논의가 잠정 중단되었다.

2001년 여름부터 시작되었던 성미산 지키기 운동이 2003년 1월 29일 기습 벌목을 계기로 뜨겁게 달아올랐다. 2003년 2월 성미산 꼭대기 농성장에서 무모한 남자 두 명이 농성 당번을 섰다. 도덕적 분위기가 감도는 엄숙한 농성은 아니었으므로 추운 날씨를 이기고자 알코올이 동반되는 것은 당연했다. 곽석희와 위성남 두 사람은 이런저런 이야기 속에서 동네에 대안학교를 만들어보면 어떨까 하는 생각에 맞장구를 쳤다. 역사란 이렇게 우연하게 술김에 발생한다. 길게 보면 필연이지만, 그 순간은 지극히 우연이었으며 논리적 설명은 불가능하다. 30대 후반의 두 남성은 오지랖을 발휘한다.

지금 생각하면 당시만 해도 혈기왕성한 청년들이었다. 전년도에 있었던 '대안중학교 모색'을 빙자한 술자리 모임 멤버들 중 김상복, 유창복이 다시 부활하였고 3개월 뒤인 5월 10일에 '대안학교를 만들기 위한 간담회'를 개최하는 데 이르렀다. 열한 명이 모인 그야말로 최초의 '관심자 모임'[37]이었다. 이렇게 해서 대안학교 이야기를 공식적으로 꺼내놓았으니 뭔가 그다음 행보가 있어야 했다. 대안학교를 만드는 엄중한 일 자체를 가볍게 생각하는 경박한(?) 인간들이 모였으니 당연히 막막할 수밖에 없었다. 뭔가 갑갑할 때 하는 전형적인 행동인, 우선 공부 모임을 하자는 데 동의했다. 2개월 정도 책을 읽고서 이야기를 나누는 모임을 진행했으나 해답이 보일 리 없었다. 모임이 원활하게 진행되지 않았고 그 효과도 기대하기 어려웠다. 천천히 하나하나 공부해서 학교를 만든다? 그것도 학부모들이?

3개월 뒤 7월 19일 내부 워크숍 때, 앞으로 만들어갈 대안학교의 성격을 '지역 공동체를 강조하는 학교'로 하자는 논의를 했다. 그동안 지역과 상관없이 대안학교 그 자체만을 만들자는 것(실현 가능성이 별로 없는 발도르프 학교를 만들자는 위성남의 공허한 주장이 있었다.) 에서 마을 차원에서 학교 만들기 논의를 진행하자는 것(유창복의 주장)으로 논의의 큰 흐름을 전격적으로 바꾼 것이다. 이것은 현재의 성미산학교 성격을 규정짓는 매우 중요한 최초의 결정이었다. 이것 이외에는 여전히 아무 것도 논의되거나, 결정된 바가 없었다.

다시 7월 31일에는 '대안학교를 만들기 위한 준비 모임'을 정식으로 구성했다. 이전에는 공부 모임이었으니 이제 정식으로 뭔가 프로세스를 밟아나가는 실행 모임이어야 했다. 최초 관심자 모임(5월 10일) → 공부 모임(6월과 7월) → 준비 모임(7월 31일)으로 흐름이 이어진다. 이렇게 설명하면 대단히 목적의식적인 기획을 가지고 조직 과정을 세심하게 설치했다고 착각할 수 있다. 그러나 천만의 말씀, 단지 해석이 아름다울 뿐이다. 어찌 됐든 준비 모임을 만들었다는 것은 주요 멤버가 정해졌다는 것을 의미한다. 모임은 조직이다. 조직은 구성원과 할 일이 명확하게 규정된 체계 있는 단위를 말한다. 형식은 이러하나 내용은 여전히 답보 상태였다.

돌파구를 찾다

난관에 봉착했다. 학교를 만들자고 몇 사람이 모여서 으샤으샤 하면 뭔가가 되는 줄 알았다. 당시에는 대안학교가 여러 곳에서 만들어지고 있었던 터라 마음만 먹으면 쉽게 만들어지는 줄 알았다. 어떤 학교를 어떤 과정을 통해서 만들어가는지에 대해 사실 막막했다. 학교의 성격은 다양한데 어떤 기준으로 선택해야 할까? 사람들을 어떻게 모을까? 누가 교사를 하며 돈은 어떻게 모을까? 난관에 봉착했을 때는 돌파구가 필요하다. '한 사람이 열 걸음보다 열 사람이 한 걸음을!'이라는 구호가 진리인 건 같지만 언제나 그러하지는 않다. 둘 다 중요하다. 열 사람이 한 걸음을 내디뎌야 할 시기가 있고, 한 사람이 열 걸음을 내달릴 때도 있어야 한다.

그 돌파구를 유창복이 뚫었다. 뭔가를 계속 꼼지락거리며 머리

카락을 쥐어뜯던 7월 하순, 갑자기 격월간 대안교육잡지 『민들레』에 글을 기고[39]하겠단다. 성미산마을이란 게 있고, 그 마을에서 대안학교를 만들고 싶은데, 마을 사람들은 주민들이지 교사가 아니기 때문에 교사들이 와서 대안학교를 함께 만들자는 제안을 담은 내용이었다. 잡지에 실린 글에 무슨 반응이 있을까 싶었는데 진짜로 반응이 왔다. 당시 한겨레문화센터에서 대안교육 과정을 수강하고 있었던 수강생 몇 명이 노크를 해온 것이다.

뜨거운 여름이 지난 9월 6일에 주민과 교사들의 첫 만남이 이루어졌다. 이 자리에서는 학교 만들기 과정에서 '부모'와 '교사'의 역할 분담에 대해 한쪽이 일방적으로 주도하지 않고 열려 있는 논의 구조로 간다는 원칙을 서로 확인하였다. 이후 교사 모임이 별도로 구성되었다. 그중에는 현직 교사도 있었고 그냥 일반인도 있었다. 마을은 주민들이 만들었으니 학교는 교사들과 함께 만들고 싶다는 매력적인 호소에 응답했던 것이다.

교사와 주민이 학교를 함께 만든다는 그림은 겉으로 보기에 굉장히 좋아 보인다. 마치 시골 마을에서 폐교 위기에 처한 학교를 구하자는 주민들의 모습이 연상되기도 하고, 지역 사회에서 뜻있는 사람들이 모여서 좋은 학교를 만들자는 개화기 시대의 모습을 보는 것 같기도 하다. 도대체 마을은 무엇이고 주민은 누구란 말인가? 당시에는 이런 원초적인 질문에 답을 할 수가 없었다. 왜냐하면 우리들도 몰랐기 때문이다. 마을은 듣기 좋은 말로 마을이지 엄밀한 개념도 아니었고 주민이라 함은 더욱 애매모호한 호칭이었다. 주민은 무슨! 사실 대안학교에 자기 자녀를 보내고 싶어 하는 학부모였을 뿐이었다. 더구나 학교를 만드는 일인데 그냥 대충 몇 번의 회의를 통해서 만들 수 있는 것도 아니어서, 수많은 회의와 오랜 준비 기간 동안 개인적 시간을 투자해야 하는 일에 누가 나서서 하겠는가? 당사자가 아닌 이상.

그런데 그러한 당사자들이 '성미산마을'이라 불리는 커다란 커뮤니티의 구성원들이라는 점이 특징이었다. 지금이야 당연해 보이지만 당시로서는 '마을학교'를 지향한다는 것은 획기적인 발상이었다. 그래서 주민으로 이름 붙인 학부모 당사자와 교사를 하고자 하는 대안학교 교사 지망생들이 성미산마을이라는 환상적인 배경을 토대로 해서 모였다. 이제 뭔가가 이루어질 판이었다.

이상적인 두 주체

주민 모임과 교사 모임으로 두 주체를 구성하고 별도의 모임을 가졌다. 주민 모임에서는 대안학교에 관심 있는 새로운 학부모들을 모집하는 일과 학교 설립 자금을 모으는 일을 담당하고 교사 모임에서는 학교 철학과 교육과정 등에 관한 내용을 준비하기로 했다.

이는 통상 학교 만들기의 주체라고 여겨져 왔던 교사들 이외에 학부모 주체를 새로이 설정하는 것이었다. 학교 만들기는 학부모 정체성만으로 할 수 없다는 점을 깨닫는 순간, 내부 역량을 키워서 차근차근 준비한다는 '천천히 느리게' 방식을 과감히 내던져버리고 새로운 역량을 끌어들이는 것으로 문제를 일거에 해결하고자 하는 것이었다. 그러나 초청을 하는 사람과 초청을 받은 사람의 처지는 엄연히 다르다. 그렇기 때문에 학부모들의 주도성이 사실 더 강했다. 마을을 배경으로 마을학교라는 초기 콘셉트를 담보하는 담지체로서의 주민·학부모의 성격 때문에 교사와 학부모라는 두 주체에서 학부모 쪽으로 더 기울어진 것이다.

사정이 그러함에도 두 주체는 각기 독자적인 준비 과정을 거쳐서 최종적으로 동등한 수위에서 만날 것을 기약했다. 너무나 이상적이었다. 이는 기존의 공립학교에서 보여주는 학부모들의 무권리한 상태를 방지하기 위한 것이기도 했다. 이러한 사고방식은 실제로 이후 매우 복잡한 조직 변화의 과정을 밟는다. 10월 18일에 '대안학교 설립을 위한 주민추진위원회'를 정식으로 창립했다. '학부모' 추진위원회가 아니라 '주민' 추진위원회이다. 마을에서 학교를 추진한다는 의도가 포함되어 있다.

그렇다면 과연 마을에서 모든 사람들의 뜻을 모아서, 즉 공식적 의사 결정 과정을 거쳐서 이 일을 추진하고 있었던 것이었을까? 그건 분명히 아니었다. 마을 사람들 중에서 대안학교에 반대하거나 관심이 없는 사람이 훨씬 더 많았다. 따라서 마을에서 학교를 만든다는 것은 상징적인 표현이지 실질적으로 그러하다는 것은 아니다. 정확하게는 '마을 주민들 중에서 대안학교에 관심 있는 몇몇 사람이 추진하는 학교'가 맞는 내용이다. 그럼에도 '주민'이라는 낱말을 사용하는 것은 굉장히 상징적인 위력을 가진다. 정당성을 부여하기 때문이다.

그러면 '준비 모임'은 뭐고, '추진위원회'는 또 뭔가? 무슨 조직학 원론에 규정되어 있는 개념은 아니지만 주관적으로 생각해볼 때, '모임'의 수준에서는 논의를 조직한다는 뜻이 있을 것이고 '위원회'의 수준에서는 명목상이 아니라 실제적으로 일을 추진하겠다는 뜻이 담겨 있다. 실제로 일을 추진하기 위해서는, 즉 창립을 준비하기 위해서는 정관(규정)도 마련해야 하고, 조직 구성도 해야 하며, 돈도 마련해야 한다. 이 모든 일을 체계적으로 진행하겠다는 의미이다. 위원회는 책임성과 공식성을 보장하는 조직이다.

공식 조직인 추진위원회는 형식적이지만 위원회의 정관이 있고, 회의록을 작성했으며, 회원 명부와 조직과 의사 결정 과정을 명시한 내부 규정이 있었다. 따라서 추진위원회의 위원들은 더 높은 책임감을 가질 수밖에 없게 된다.

인적 구성으로 본다면야 '그 사람이 그 사람이고 그 밥에 그 나물인데, 무슨 형식이 그리 중요한가?'라고 반문할 수도 있다. 조직이란 해당 구성원들이 어떻게 의사소통과 의사 결정을 할지에 대한 자신들만의 독특한 방식을 구축하는 것이며, 이것은 조직의 문화적 분위기로 표현된다. 형식적이라 할지라도 의사 결정의 민주적 절차는 매우 중요하다. 사람들의 '참여'를 최대한 이끌어내야 하기 때문이다. 일의 효율성으로 본다면야 그냥 몇 사람이 며칠 밤새워서 논의한 뒤, 뚝딱뚝딱 문건을 만들고, 프레젠테이션 자료 만들고, 홍보물 잘 만드는 게 훨씬 더 빠르다. 그래서 누가 결정했는지 모르지만, 어쨌든 대단한 뭔가가 있고, 준비가 확실하게 되었다는 이미지를 갖게 할 수가 있다.

그러나 그러한 방식은 단기적인 효율성은 보장하겠지만 장기적으로는 위기관리에 매우 취약하다. 아무튼 뒤이어 2개월 뒤인 12월 6일에는 '교사추진위원회'가 구성되었다. 학부모 중심의 주민추진위원회와 보조를 맞추기 위해 교사추진위원회로 개편하여 조직의 위상을 동등하게 맞추었다. 지금 다시 생각해도 참으로 꼼꼼하고 논리적이었다.

과정 중심의
학교 만들기

　　성미산마을을 만든 주민이자 학부모들(전체 주민들 중 일부분)이 학교를 만들겠다고 나선 것은 그 자체로 보면 대단한 일이었으나, 학교를 그냥 대충 어찌어찌해서 만들 수 있는 게 아니었다. 방과후 교실을 만드는 것도 아니고, 인가를 받지 않았지만 그래도 정식 학교인데 건물만 덩그러니 짓는다고 해서 학교가 되는 건 아니지 않겠는가? 더구나 건물을 짓는 것도 몇몇 사람들이 감당할 수 있는 수준이 아니었다. 대략 소요되는 자금만 해도 20억 원 이상은 족히 넘을 듯했다.[40] 없는 돈을 만들어내는 데에 뾰족한 수가 있는 건 아니었다. 일단 학부모들의 호주머니에서 돈을 꺼내는 방법이 가장 유력했다. 비용 마련에 있어서 학부모들로부터 충당하기에 앞서 외부 기부금을 조직하는 방안을 우선 추진했다. 초기 설립 추진 멤버들 중에서 학벌 좋고, 인맥 좋은 사람들의 주변을 스캔해 보면 대기업 임원 몇 명 정도야 없었겠는 가? 그것도 모두 서울에 살고 있는데! 그래서 리플릿을 만들어 직접 방문해서 대기업의 사회 공헌 차원에서 기부할 수 있겠는가를 문의했 다. 인맥을 총동원했다.

그러나 대안학교라는 게 사회 공헌에 해당할 만한 조건에 맞아야 하는데 우리가 만드는 대안학교는 보통 학교이자 당사자 중심의 학교 이기 때문에 딱히 그러한 조건에 맞지 않았다. 결론적으로는 규모 있 는 외부 기부금을 조직하지 못했다는 말이다. 그래서 당사자들이 직 접 해결해야 했다. 그러기 위해서는 학교를 보내려는 예비 학부모들 을 강력하게 조직해야 했다. 그래서 생각해낸 것이 학교 만들기의 제 1의 원칙은 당사자 참여를 원칙으로 한 과정 중심이어야 한다는 점이 었다. 구체적으로 진행 과정의 논리적 구성을 중요하게 보았다. 학교 만들기의 두 주체(학부모와 교사)가 동등하게 구성되는 것도 여기에 해당 한다. 즉, 어떤 착하고 돈 많은 독지가의 재정적 도움을 받아서 만드 는 게 아니라 그야말로 학부모와 교사 당사자들의 참여로 만들어야 했다. 이것이 의사 결정 과정을 복잡하게 설치한 이유였다.

학교 설립 자금을 외부 조달이 아닌 내부에서 해결하려면 어떻게 해야 하나? 학부모들의 주머니 사정이야 다들 고만고만한데…. 우선 초기 자금으로 수억 원을 만들어야 했는데, 각 가구당 감당할 수 있 는 수준은 1,000~2,000만 원 수준이었다. 초기 설립을 앞장서서 추 진했던 몇몇 사람들이야 빚을 내서라도 돈을 만들어내겠지만 나중에 오는 사람들도 똑같은 마음일 것이라고 할 수는 없었다.

또 사람의 측면에서 볼 때도 그러한데, 학교를 만들자는 초기 발의자는 불과 서너 사람이었다. 2003년 5월 최초 관심자 모임을 진행했을 때 모였던 사람도 불과 11명이었다. 그 이후 1년이 넘게 설립 업무를 진행했던 과정의 핵심 인물들도 7~8명에 지나지 않는다. 그러나 인원수가 중요한 게 아니다. 프로세스(과정과 절차)가 중요하다.

마음 모으기

2004년에 접어들면서 모든 논의는 급물살을 탔다. 2004년 1월 16일에는 주민추진위원회 주도로 대안학교에 관심 있는 (예비) 학부모들을 대상으로 '생각 조각 모으기' 프로그램을 진행했다. 즉, '왜 내 아이를 대안학교에 보내려고 하는지, 어떤 학교를 원하는지, 학교에서 무엇을 가르쳤으면 좋겠는지' 등의 질문에 대한 학부모 당사자들의 생각을 나열하고, 이를 한데 모아서 분류해보는 프로그램이다. 이 내용을 곧바로 성미산학교 '설립 소식지 제1호'에 게재하였고, 학교 추진의 공식성과 신뢰성을 더욱 드높이고자 했다. 의견을 모으는 것과 이를 소식지를 통해 알리는 것! 많은 사람들이 소식지의 중요성을 간과한다. 소식지가 갖는 효과 중에서 첫 번째는 '기정사실화' 효과가 있다. 발행 부수와 그 형식이 어떠한지에 상관없이 종이 지면으로 제작된 소식지(신문)는 정해지지 않는 사실조차 이미 정해진 것으로 여기게 한다. 이는 매체가 갖는 특성이다.[41]

'생각 조각 모으기' 프로그램이 그리 대단한 건 아니다. 모임의 제목은 '우리 스스로 만드는 대안학교 : 학교 모습 만들기'였으며, 그 내용은 '아래로부터 학교 만들기, 생각 조각 모으기 방식, 합의 과정 중시, 한 사람의 열 걸음보다 열 사람의 한 걸음을!'이었다.

일단 질문은 세 가지이다. 이 질문에 대해 참석자들이 포스트잇에 자신의 생각을 적는다. 질문은 다음과 같다.

① 아이들이 성미산학교를 졸업하면 어떠한 사람이 되어 있기를 원하는가?

② 그러기 위해서 성미산학교(우리 대안학교)가 무엇을 해야 한다고 생각하는가?

③ 현재 성미산학교를 만드는 데 있어 가장 걱정스러운 점과 그에 대한 해결 방안이 있으면 제안해달라.

이 세 가지 질문은 '교육철학—추구하는 인간상', '교육과정—학제, 교육 내용', '학교 운영', '학교 공간—시설과 시설 배치, 규모'를 모두 포괄한 질문이었고, 이러한 질문에 대한 답을 모두 분류 및 정리하여 회람하였다. 우리는 이것을 '게시판 토론'이라 불렀는데, 이는 다중의 생각을 확인하는 데에 아주 탁월한 효과를 보여준다. 구성원들의 생각의 폭을 한눈으로 확인할 수 있는 것이다. 그 이전에는 막연하게 누구누구는 이럴 것이라는 식의 추정을 했는데, 이제는 그럴 필요가 없게 되었다.

또 다른 점은 참석자 개인이 제시한 의견이 구체적으로 눈앞에서 어떻게 분류되고 반영되는지를 확인할 수 있다는 것이다. 즉, 자신의 의견이 곧바로 반영된다는 점이다. 이러한 과정은 결과적으로 어떤 학교를 만들지에 대한 의견 분포도와 학교 추진에 정당성을 부여하는 점에서 대단히 중요하다. 이것은 '열 사람이 한 걸음씩 내딛는 방식'으로 구성원들의 에너지를 한데 모으는 데 있어 매우 탁월한 효과를 가져다준다. 이러한 과정을 거쳐 학교 설립의 큰 틀을 잡았고, 이것을 나중에 교사들이 논의한 전문적 내용과 결합시켰다.

이제는
속도를 내야 할 때

2004년 2월과 3월, 학교 설립의 카운트다운이 시작되었다. 2학기 때, 즉 9월에는 학교 문을 열어야 했다. 교육과정의 준비 정도가 어떠한지를 따지기에 앞서 학부모들의 에너지가 모였을 때 일을 팍팍 추진해야 했다. 왜냐하면 돈을 마련해야 하는데, 돈은 학부모들의 호주머니에서 나와야 하고 그러려면 학교 설립에 참여하는 초기 학부모들의 의지가 살아 있을 때 돈을 모아야 했다. 이 시기가 늦어지면 앞날을 기약할 수 없었다. 천천히 모든 걸 하나하나 준비해서 학교를 만들어야 하지 않겠냐고 생각할 수도 있겠지만, 일이란 게 반드시 그렇게 진행되는 게 아니다. 천천히 추진할 게 있고, 급하게 추진할 게 있는 것이다. 어느 방식이 옳고 그른지 딱히 정해진 게 아니다. 그건 당사자들의 판단과 의지에 달린 문제이다.

학부모들은 일정을 잡았고, 그 일정대로 일을 추진해야 했다. 9월에 학교 문을 열려면 상반기에 학부모들을 모아서 돈을 마련해야 했다. 2004년 3월 20일 '도시형 대안학교 (가칭) 성미산학교 설립자 대회 및 학교 설명회'가 홍익대학교 와우관 계단강의실에서 200여 명이 참석한 가운데 열렸다. 그동안 교사와 학부모들이 함께 준비해온 성미산학교의 모습과 설립 과정에 대해 내부 구성원을 대상으로 자세히 설명하는 자리였다. 또한 학교 설립에 소요되는 자금을 어떻게 마련할지에 대한 구체적이면서도 현실적인 방안이 제출되어야 했다. 그 이전까지는 학교 설립 자금을 외부의 기부금이나 후원금으로 충당하려고 했었다. 즉, 대기업의 사회 공헌 자금이나 개인 고액 기부자들을 찾아보자는 것이었다. 그러나 대안학교라는 게 저소득층의 교육적 기회를 박탈당한 아이들을 위해 설립하는 학교가 아니고 새로운 교육을 실험하고 국가 교육 시스템으로부터 벗어나서 독립적 교육을 실행하고자 하는 것이었기 때문에 외부 기부를 조직하는 데는 모두 실패했다. 따라서 학교 설립 자금은 당사자가 해결할 수밖에 없었다.

3월 20일 학교 설명회를 앞두고 이러한 당사자 해결 원칙에 바탕을 둔 방안을 구상했다. 입학 기부금과 함께 자금의 여유가 있는 학부모들에게 '학교 설립 예금'을 받기로 했다. '학교 설립 예금'은 일종의 채무여서 당연히 원금 상환과 이자 부담이 생길 수밖에 없었다. 그에 대한 부담은 재학생 학부모들이 나누어 져야 했고, 재학생 부모들에게 매월 '설립 기금 및 각종 후원 기금'을 소액으로 받기로 했다. 그리고 '학교 설립 예금'은 일정 거치 기간 뒤에 일정 금리로 상환하기로 했다. 결국 학교 설립은 학부모들이 100% 부담하는 것이었으며, 외부 기부나 후원금은 거의 없었다. 또한 학교 설립자로서의 기여 기회를 초기 학부모가 독점(?)하기보다는 미래의 학부모에게도 열어두는 것이 공동체 정신에 합당하다는 지적이 제기되기도 했다.

참으로 말들을 잘 만들어낸다. 결국 학교 설립 과정에서 발생한 부채는 미래의 학부모들이 장기간 나누어 부담해야 한다는 뜻을 이렇게 고상하게 표현하는 것이다. 솔직하게 표현하면 빚으로 학교를 짓겠다는 뜻이다. 즉, 초기 설립자들이 생고생을 했으니 나중에 들어오는 사람들도 그것을 천천히 나누어 함께 부담하자는 것이다. 결론적으로 보면 이러한 방식은 성공했다. 학부모들의 마음을 모으는 데 성공함으로써 설립 자금을 모으는 데도 성공했다. 돈은 마음을 따라 움직인다. 그러니 돈을 모으려면 사람들의 마음을 먼저 모으는 게 정답이다.

갈등이 일어나다

　　최초의 성미산학교 설명회는 그야말로 '대박'을 쳤다. 분위기는 고무되었고, 일을 더욱 엄중하게 추진해야 했다. 학부모들이 모이면 학생들이 모인다는 것이고, 일이 이렇게 되면 교사진을 빨리 구성해야 했다. 교사추진위원회는 정식으로 교사회를 구성해야 했다. 발걸음이 바빠졌다. 이때 구성하는 교사회는 학교에서 근무하는 정교사여야 했다. 당연히 급여를 받는다. 이전 교사추진위원회 단계에서는 급여를 받지 않고 회의에 참석하는 수준이었기에 모두 함께 의논한다는 것이었는데, 이제는 성격이 달랐다. 교사추진위원회 수준에서는 구성원들의 들고남이 비교적 자유스러웠는데, 교사회가 구성되면이는 근로 관계가 성립하기 때문에 입사와 퇴사의 복잡한 절차를 거쳐야 했다.

문제는 교사회 구성을 교사추진위원회 멤버들이 스스로 진행해야 한다는 점이었다. 즉, 당사자가 당사자들을 심사하고 선정하는 것이다. 당연히 누가 누구를 심사하고 판단해야 하는가에 대한 근본적인 문제가 발생했다.

2월 28일 성미산학교 (정)교사회 구성을 위한 (예비)교사 전체 회의를 개최했다. 학교상(學校象)에 대한 내용이 점차 구체화되고, 개교 일정(2004년 9월 개교 목표)에 따라 모든 논의가 진행됨에 따라서 교사추진위원회는 개교 이전에 정식 교사회를 구성해야 했다. 그런데 교사진 내부에서 갈등이 일어났다. 교사회 구성이 갖는 성격을 뒤늦게 깨닫고서 일부 교사들의 머릿속에 떠오른 생각이 있었다.

'아, 이들과 계속 함께 가야 하는구나! 그런데 이들과 함께 갈 수 있을까? 이건 아닌 거 같은데.'

교사회를 구성하자는 회의가 끝난 뒤, 몇몇 사람들 사이에 개인적 의견 교환이 있었다.

"이건 아닌 거 같다. 누구누구와 함께 교사회를 구성하는 것은 아닌 것 같다."

그러나 일이란 게 생각처럼 쉽게 진행되는 게 아니다. 공식적인 것과 비공식적인 것의 차이는 하늘과 땅 차이다. 공식 회의에서 결정된 사항은 당연히 구속력을 갖게 된다. 그러나 그 결정 내용이 마음에 들지 않는다고 해서 비공식적 의사소통을 가진 뒤에 공식 결정을 절차 없이 쉽게 뒤바꿀 수는 없는 노릇이다. 그건 아마추어들(?)이나 하는 짓이다. 그러나 이들 몇몇 교사들은 일을 그렇게 했다. 즉, "나는 저 사람과 정교사로서 함께할 수 없을 것 같다."고 한 것이다. 그러니 몇몇 사람을 배제시키자는 생각에 공식 결정에 대해서 다시 논의하기를 요구했다.

그다음에 발생할 풍경은 빤하다. 배제당하는 사람의 입장에서는 도저히 납득이 되지 않으므로 강하게 반발한다. 그리고 비교적 공정한 판단을 할 것 같은 외부 세력을 찾아가서 도움을 요청한다. 당연히 학부모들에게 논의가 확대되는 것을 피할 수 없었다. 절차! 절차가 왜 그리 중요한가? 절차 자체가 조직이기 때문이다. 학교를 만드는 초기 시점에서 절차가 무너지는 것을 본 학부모추진위에서는 이것을 심각한 사안으로 판단했다. 초기 학부모 설립위원들은 교육에 있어서는 아마추어이지만, 무릇 조직을 만들거나 운영하는 데 있어서는 베테랑이어서 문제가 무엇인지 곧바로 파악했다. 그러나 교사회 구성은 학부모들의 몫이 아니고 교사추진위원회에서 담당하기로 한 것이니만큼 교사들 내부 갈등은 그 안에서 해결해야 했다. 학부모들이 관여할 사안이 아니었다. 이것 또한 이후 학교의 조직문화로 자리 잡아야 할 중요한 요소였다.

그럼에도 배제를 당하는 교사들의 문제 제기가 있었기 때문에 이에 대해 절차상의 문제를 들어 교사회에 최소한 공식 해명을 요구할 필요와 자격은 있었다. 그러나 당시 교사회 대표는 이러한 절차상의 문제에 대해 해명하기를 거부했고, 교사회에 학부모가 간섭한다고 판단하여 전격 사퇴하고 만다. 학부모들이 보기에는 이것은 공식적 절차를 용인하지 않은 것으로 보였다. 교사회 대표의 사퇴에 대해서 납득하거나 이를 이해할 근거가 딱히 없었다. 결국 교사회 대표의 사퇴는 받아들여졌고, 이로써 교사회 내부 갈등은 어설프게 마무리되었다. 그러나 전체적으로 일은 그리 순조롭게 진행되지 않았다. 교사회 내부 갈등이 잦아들자 이번에는 학부모 내부 갈등이 서서히 수면 위로 떠올랐다.

학교 설립 준비와 개교

2004년 4월 10일 성미산학교의 최초 입학 전형을 실시했다. 신입생을 받아들인다는 것은 학교 설립에 대한 책임을 진다는 걸 의미한다. 그래서 새로운 학부모들을 포함한 새로운 조직을 곧바로 구성해야 했고, 당시까지 있었던 설립추진위원회에서 벗어나 정식으로 설립준비위원회 구성을 준비했다. 5월 31일에 대안학교 교사(校舍)로 사용될 부동산 매입 계약을 체결했다. 대지 약 220평 규모였으며 매입 비용은 14억 원 정도였다.

6월 6일에는 '설립준비위원회'를 구성했다. 이는 그동안 학교 설립 주민추진위원회와 교사추진위원회로 별도로 구성하여 교사와 학부모(주민)가 서로 독자성을 가지고 추진하면서 공식적이고 전면적인 소통을 통해 학교의 상과 내용을 결정해 나가는 방식에서 이제는 두 조직을 통합 운영해야 하는 단계에 이른 것이었다. 교사들 중심의 추진 과정은 교사들이 학교 철학에서부터 특성, 규모, 구체적인 운영 원칙에 이르기까지 학교 설립과 운영에 필요한 모든 사항을 논의하여 합의를 이끌어내는 것이었다. 동시에 이 과정 속에서 마을의 역사와 현황을 알고, 마을 사람들과 만나 이야기하면서 그들이 학교에 대하여 가지는 소망과 그 조건을 파악하는 것이 필요했다.

학부모 중심의 추진 과정은 주민들이 마을에서 학교 만들기에 찬성하거나, 자기 아이들을 그 학교에 보내고 싶어 하는 학부모들이 독자적인 모임을 만든 것에서 비롯됐다. 학부모들은 재정과 시설, 그 밖의 학교 조직과 운영 같은 분야를 준비했다. '주민모임/교사모임 → 주민추진위원회/교사추진위원회 → 학교설립준비위원회 → 학교설립위원회'라는 식의 복잡한 조직 과정에 대한 이해가 충분할 수 없었다. 그냥 하면 될 걸 왜 이리 복잡한가? 너무 형식적인 거 아닌가? 이것은 그야말로 학부모들이 주도적으로 학교 만들기를 추진했기에 그러할 것이다. 교사들이 추진했다면 일을 이렇게까지 복잡하게 진행하지는 않았을 것으로 본다. 왜냐하면 어떤 학교가 되든지 간에 먼저 교사들이 준비를 해놓고, 그다음에 이 학교에 동의하는 학부모들이 단지 선택적으로 참여할 것이기 때문이다. 이때의 학부모들은 학교 참여에 한정적일 수밖에 없다. 그건 의지의 문제가 아니라 과정의 문제이기 때문이다.

뒤늦게 참여한 학부모들은 기존의 설립위원들을 '학교 당국'으로 인식하는 태도가 많았다. 즉, 학교를 함께 만드는 동등한 주체가 아닌 뭔가 문제 제기를 해야 할 대상자로 규정하는 듯한 태도였다. 그래서 교육 문제, 학교 운영의 문제에 대해 끊임없이 뒷말을 만들어내는 집단이 나타나기 시작했다.

귀신이 산다

번듯한 학교 건물을 신축하기에 앞서 옹색한 임시 건물에서 우선 개교를 했다. 2004년 9월 4일에는 성미산학교 개교 및 입학식을 진행했다. 성미산학교가 처음 문을 연 곳은 서울 마포구 서교동 440-12호의 임대한 단독주택이었다. 이는 2003년 5월 10일 최초로 대안학교 설립 관심자 모임이 진행된 이후 1년 4개월 만에 이루어진 일이었다. 이제 학교 설립의 미션은 성공했으며, 이후에는 학교 조직의 안정화를 꾀해야 했다. 대안교육에 대해 경험 있는 사람들도 부족했고, 특히 200여 명에 이르는 거대한 구성원들의 의사소통을 성공적으로 진행하는 일은 결코 쉽지 않았다. 모든 일은 언제나 처음으로 접하는 사안이었으며, 문제는 예기치 못한 곳에서 항상 발생했다. 거대 조직을 안정시키기 위해서 할 일은 많았고, 갈 길은 여전히 멀었다. 좁은 단독주택에서 시작한 학교를 학부모들은 불안한 시선으로 바라보았다.

10월 5일, 비가 왔다. 이날은 초등 학급에서 야외 활동을 하는 날이었다. 밖에 나갈 수가 없었고, 뭔가 다른 프로그램으로 시간을 대체해야 했다. 그래서 담당 교사는 영화를 보기로 했다. 그 영화 제목이 차승원 주연의 '귀신이 산다'였다. 학부모들로부터 문제 제기가 거칠게 있었다. "이게 무슨 대안교육이냐!"

준비된 교사가 있을 수 없는 구조였지만, 교육과정이 제대로 설치되었다고 볼 수 없었다. 어디에서부터 문제를 풀어야 할지 막막했다. 문제 제기의 방식, 즉 의사소통에 대한 제안이 잇달았다. 학교는 어찌어찌해서 만들었지만 이제는 유지 발전시키는 게 관건이었다. 학부모들의 기대감을 충족시킬 만한 교육 내용이 뒤를 받쳐주지 못했다. 잠시 기다릴 수는 있었지만 교육의 질을 담보하지 못한다면 언제고 다시 터질 문제였다. 학교 건물을 신축하기 위해 공사 대금을 마련해야 하는 것도 시급했고, 그러기 위해서는 신입생을 받아야 했다. 그러나 만족스럽지 못한 교육 내용으로는 근본적으로 한계가 있었다.

이를 해결하기 위해서는 우선 학교 운영과 소통 시스템을 빨리 정비해야 한다. 그래서 시간을 벌어야 한다. 교사들이 자리를 잡을 때까지. 학교 내부 구성원들 사이의 갈등을 조정하기 위한 자구책으로 교장을 선임하기로 했다. 학교 조직 내부에 권위를 가진 어떠한 집단도 없기 때문에 갈등이 발생하면 이를 수습할 방법이 뚜렷하게 보이지 않았다. 내부에 권위자가 없으면 외부에서 찾아야 한다. 하자

센터 센터장이면서 연세대 교수인 조한혜정이 적임자로 떠올랐다. 학교도 조직 사회이기 때문에 내부 질서와 문화가 만들어져야 하는데, 초기 조직의 어수선함이 학교에서 그대로 노출되었고, 그 결과 교실은 불안정했다.

2005년 3월 26일에 설립위원회 정기 총회가 열렸다. 조한혜정이 교장으로 취임했고, 이후 학교는 급속하게 안정을 찾아갔다. 또한 정기 총회에서는 조직 구조를 개편했다. 그동안 학교의 복잡하고 혼란스러운 조직 구조를 굉장히 간편하게 바꾸었다. 복잡하면서도 수직적인 조직 구조를 간편한 수평적 구조로 완전히 뜯어고쳤다. 조직은 딱 세 개의 동그라미 구조를 가지는데, 첫째는 학교설립위원회(학교 자산과 운영의 최종 책임 단위. 일종의 학교재단)에 대한 규정이었고, 둘째는 학교운영위원회(일상적 시기의 학교 운영을 책임지는 최고의사결정기관), 셋째는 교사 사회로 구분했다. 학교장은 학교설립위원회에서 선출하며, 학교운영위원회에 당연직 위원으로 참여하나 그 위원장은 학부모가 맡았다. 조직 구조표도 동그라미 세 개로만 그렸고, 위계적인 구조로 표현하지 않았다. 이러한 구조는 지금까지 성미산학교의 기본 조직 구조로 이어오고 있다.

또한 학부모회를 별도로 구성하지 않았다. 학부모들이 학교 운영에 참여하는 게 구조적으로 보장되었기 때문이었다. 학부모회를 구성한다는 것은 '학교 당국'에 대응하는 대상자 조직을 만든다는 것을 의미하였고, 학부모가 대상자가 아니라 이미 주체로서 자리매김이 되었기 때문에 별도의 조직을 구성할 필요가 없었다. 그러나 학부모회

규칙은 사문화된 형태로 아직도 존재한다.

전체적으로 보면 조직 구성을 역할별로 나누지 않고, 운영 주체별로 나눈 것이 큰 특징이다. 지금까지의 학교 설립의 역사를 보면 처음부터 대안학교의 철학과 교육과정을 만들어내는 데 주력하기보다는 '사람'을 조직하는 데 주력했다. 이때의 사람은 '당사자'를 말한다. 대안학교에 관심 있는 사람들(학부모와 교사)에게 '왜 대안교육을 하려고 하는가?', '어떤 학교가 되었으면 하는가?', '무엇을 가르치면 좋겠는가?' 등의 질문을 던지고, 각자의 다양한 대답을 한데 모아서, 이것을 교육과정을 구성하는 기본 언어로 삼았다. 이것은 교사가 제시하는 내용과 학부모가 원하는 내용을 조율하는 과정이었다. 매우 어렵고 힘들었으며, 학부모들 간, 학부모와 교사 간, 교사들 간에 발생하는 많은 갈등을 피할 수 없었다. 그러나 전통적인 수직 위계적 조직표에서 벗어나 수평적 조직표를 구현했다는 점에서 획기적이라고 할 수 있다.

혼란과 권위

2006년, 학교 문을 연 지 3년째에 접어들었지만 교실은 여전히 시끄러웠다. 쉬는 시간과 수업 시간을 구분할 수 없을 정도로 교실은 통제되지 않았으며 매일매일 크고 작은 사건들이 잇달았다. 일부 학부모들은 계속해서 문제 제기를 했고 급기야 2005년 말부터 교육과정의 큰 방향에 대한 이견이 발생했다. 2005년 하반기 조한혜정 교장이 연세대 교수로서 안식년을 맞이하여 6개월 동안 미국으로 출국을 하면서 교장 업무에 공백이 생겼고, 학교는 다시 갈등에 휩싸였다. 학교 내부에 새로운 권위가 형성되지 못한 것이 그 이유였다.

계기가 되었던 사건은 학생들 사이에서 발생한 폭력 사건이었다. 2005년 9월경에 발생한 폭력 사건에 대해 제대로 대응을 하지 못함으로써 학교의 전반적인 방향으로까지 확대되었다. 공격의 타깃은 초기 설립위원들이었다. 당시 유창복 교감(조한혜정 교장의 권한대행)은 이 문제로 3개월 동안 시달리다 결국 11월에 사퇴했다. 겨울 동안의 잠복기를 거쳐 2006년에 접어들자 논쟁은 다시 불이 붙었다. 초등 과정과 중등 과정을 분리하여 운영하기로 했고, 교사회도 초등 교사회와 중등 교사회로 분리되었다. 학부모들도 초등과 중등이 따로 모였다. 당면한 과제는 교실의 불안정성을 해소하는 것이었다. 불안정한 교육과정으로 인해 교사회도 안정이 안 되었고, 교사들은 따로따로였다. 중구난방 수많은 제안과 아이디어가 난발했으나 무엇 하나 효과가 없었다. 문제를 어디에서부터 해결해야 하나?

2006년 3월부터 중등과 분리된 초등부 교사회(대표 교사 정현영)에서는 매일 오후 5시부터 6시 사이에 회의를 열었다. 그날에 교실에서 일어난 모든 일에 대해서 서로 간에 정보를 나누는 시간이었다. 초등학생들에게는 당연히 담임교사가 있었지만, 과목에 따라 강사진이 따로 있었기 때문에 그날 하루에 교실에서 어떤 일이 일어났는지를 서로 잘 알지 못했다. 문제를 해결하는 첫 번째 과정은 정보를 장악하는 것이다. 무슨 일이 일어나는지 '팩트'를 공유하는 것이 중요했다. 이 것만 알아도 문제의 절반은 해결된다.

이러한 초등 교사들의 정보 소통 회의는 한 달이 지나자 효과가 급속하게 나타나기 시작했다. 교실이 조용해졌으며 교사들의 자신감이 회복되었다. 아이들에게 매일매일 일어나는 사건에 대한 대처가 기민해지고, 그날 처리해야 할 일과 시간을 두고 천천히 해결해야 할 일이 구분되었다. 담임교사가 전화로 처리해야 할 일과 교사 회의나 학교운영위원회에 안건을 상정하여 해결해야 할 중요한 일도 구분되었다. 일 처리에 질서가 잡혔다.

왜 이러한 기본적인 것이 무려 3년이나 걸렸을까? 조직 전문가가 누가 있었겠는가. 그저 갖가지 시행착오와 경험만이 갈 길을 보여줄 뿐이었다. 어찌 되었든 교실이 평정(!)되면서 교사들에 대한 학부모들의 신뢰가 급상승하였다. 즉, 학부모들에 대한 교사들의 권위가 형성되었고, 결과적으로 학교 운영이 안정되기 시작했다. 권위의 형성! 새로운 신뢰 집단의 형성! 3년 동안 기나긴 내부 갈등의 역사에 종지부를 찍을 시간이 다가왔다.

그러나 중등 교사회에서는 여전히 문제가 발생했다. 중등 학생들에 대한 수업료 추가 지원 문제가 표면의 이슈로 떠올랐다. 즉, 초·중등 동일한 수업료를 적용하는데 중등 학생들은 숫자가 상대적으로 적기 때문에 재정이 넉넉하지 않다는 것이었다. 그런데 이와 관련된 사안이 중등부의 교육과정의 질을 더욱 드높여야 한다는 요구와 맞물리면서 중등부에서는 '입시 교육'을 시도하려는 것 아니냐는 오해를 불러일으켰다.

문제의 핵심은 수면 밑에 깔려 있는 또 다른 측면이었다. 즉, 마을학교라고 하는 초기 설립위원들이 설정했던 학교의 성격에 관한 반대 기류였다. 제대로 된 교육을 실시하는 수준 높은 대안학교를 만들어야 하는데, 마을학교라는 성격은 그 질을 떨어뜨릴 수 있다는 우려였다. 이러한 시각은 겉으로 좀처럼 드러나지 않았다. 이것은 화해할 수 없는 근본적인 대립 지점이었다. 2006년 5월 11일과 6월 28일 두

번에 걸쳐 임시총회가 개최되었다. 중등부에서 요구한 수업료 추가 지원 건은 부결되었다. 초등부 설립위원들이 중등부 요구에 대해서 대부분 반대하였다. 그것은 안건 자체에 대한 반대가 아니라 그 안건에 담겨 있는 의미에 대한 반대였다.

안건이 부결된 후 몇 차례 우여곡절을 거쳐 중등부 학부모들 중 여덟 가구가 학교를 탈퇴하였다. 아직 안정되지 않은 학교 조직으로서는 대단히 위협적이었으나 기나긴 갈등의 역사에 종지부를 찍은 결과를 낳았다. 2007년 3월 조한혜정 교장이 2년 임기를 만료하고 새로이 박복선 교장이 초빙되었다.

정현영

1963년생. 성미산학교 교사. 대안학교 설립의 불을 지핀 것은 위성남이었지만, 학교 설립의 틀과 방향을 잡고 이를 실체화한 것은 유창복이었다. 정현영은 설립 초기의 어수선한 학교 질서의 난관을 돌파한 당사자이다. 물론 이 모든 과정을 소수의 몇 사람이 주도한 것은 아니다. 수많은 사람들이 관여되어 있고 보이지 않은 열정과 노력이 바탕에 깔려 있다. 정현영은 1994년 숙명여대에 복학했다. 무릇 386세대들이 그러하듯 학생 운동과 노동 운동 과정 속에서 제적되고 구속된 경로를 밟았다. 복학생 정현영은 초기 공동육아 운동을 이끌었던 숙명여대 이기범 교수의 강의를 들었다. 굉장히 현장 깊었던 강의였고, 당시의 강의 교재를 아직도 보관하고 있다. 그것이 밑바탕이 되었는지는 모르나, 2002년에 아이 때문에 참나무어린이집을 설립하는 일을 실질적으로 주도했다. 그리고 2004년 성미산학교 설립의 모든 과정에 있었던 당사자였으며, 지금까지 성미산학교 역사의 산증인이다.

chapter

4

마을은 축제다

일상성을 갖고 살아가는 이야기를 수다 떨듯이
풀어낼 수 있으면 좋겠다는 의견이 나왔다.
축제가 갖는 원래 의미는 서로 살아 있음을 확인하는 것이고,
자기의 재능을 나누는 장이 되고, 과거를 회상하며 현재를 성찰하고,
미래의 에너지를 축적해야 했다.
또한 상징성을 가져야 하는데 이는 살아온 과정을 미래 지향적으로,
살아온 이야기들을 모두 이해할 수 있도록 집약하여
과거를 계속 확인하는 것이어야 했다.

거리 축제

축제란 뭔가 즐거운 일을 함께 하는 행위이다. 축제의 현장에서 뭔가를 보거나 체험하는 사람들이 있고, 또한 뭔가를 보여주거나 진행하는 사람들이 있다. 축제의 공간에는 시끄럽고 가벼운 흥분의 분위기가 감돈다. 2007년 6월 10일에도 이러하였다. 9일부터 10일에 걸쳐서 성미산마을 거리 축제가 '성미산마을 메인스트리트'라고 부르는 도로(망원우체국 사거리에서 성서초등학교 사거리까지 약 360m)에서 열렸다. 축제는 토요일 오후에 성미산 꼭대기에 있는 장승 앞에서 고사를 지내는 것으로 시작하여 마을 골목으로 길놀이가 이어졌고, 차 없는 도로에서 판굿과 공연, 심야 영화제가 열렸다. 다음 날 일요일에도 역시 공연이 이어졌고, 의자 만들기, 흙담 쌓기, 골목 놀이, 자전거 꾸미기 등 수십 개의 체험 부스와 먹거리 장터가 열렸고 동네사진관, 생태사

성미산 고사와 함께 진행된 길놀이.

마지막 날 행사인 영산줄다리기.

9일에 열린 주민노래자랑.

거리 부스.

진 등이 전시되었다. 폐막식에서는 대동놀이가 진행되었는데, 영산줄다리기가 그 절정이었다. 모두 6개의 이벤트 프로그램과 20개의 부스가 열렸고, 36개 팀과 6개 상가가 참여했다. 규모는 둘째치고 가장 큰 특징은 성미산마을 구성원들의 적극적인 참여가 두드러졌다는 점이다. 도로 통제가 풀리면서 사람들은 거리로 쏟아져 들어왔고, 조용하기만 한 일상의 주거 공간은 축제의 소음 속에서 낯선 흥분의 공간으로 순식간에 변하였다.

공간의 장악과
두 달 작전

2007년 축제에서 가장 중요한 점은 장소였다. 2001년 성서초등학교 운동장에서 시작했던 축제가 2002~2003년에는 성미산 지키기 운동 때문에 성미산과 성서초등학교를 연결하여 진행했다. 그러다 2004~2006년까지는 성미산을 벗어나 마포라는 큰 틀에서 함께 어울리자는 취지에서 장소는 상암동 난지천공원이나 한강시민공원에서 진행했다. 이때에 축제의 주체인 주민들의 참여도가 뚝 떨어졌고 서로 연대하는 시민단체 회원들만의 연례행사로 그쳐 축제가 재미없다는 평들이 나왔다. 즉, 축제의 공간과 일상생활의 공간이 분리됨으로 인해 축제가 즐거움이 아니라 고되고 힘든 일로 느껴졌던 것이다. 그리하여 2007년 축제는 장소를 다시 성미산마을로 되돌렸다.

'차 없는 거리'를 만들어냈다는 것은 대단히 높이 살 만하다. 왜냐하면 차량 통제 바리케이드를 넘어 갑자기 해방된 공간이 만들어졌기 때문이었다. 이곳을 제일 먼저 점령한 사람은 동네 꼬맹이들의 자전거 부대였다. 그 뒤로 어른들도 하릴없이 차가 다녔던 도로를 걸어 다녔다. 통상 이러한 거리 통제의 권한은 행정 권력만이 가능하다고 여겨졌다. 그건 전혀 틀린 생각은 아니다. 현실적으로 구청과 경찰만이 통제 권한을 갖고 있다. 축제를 위해 거리 통제를 실현했다는 것은 성미산 커뮤니티의 영향력을 드높이는 결정적 계기로 작용했다.

또 하나의 특징은 이른바 '두 달 작전'이었다. '두 달 작전'은 말 그대로 두 달 동안 열심히 노력해서 축제에 올릴 공연을 준비해보자는 것이었다. 두 달 이상 진행하면 일상에 지장을 주고 피곤해지니까 딱 두 달만 부지런을 떨어보자는 것인데, 이렇게 해서 수많은 공연 프로그램들이 만들어지게 되었다. 이후 '아마밴드', '성미산풍물패', '동네사진관'은 동아리로 전환했고, '내안의몸부림'은 '라빠시온'이라는 춤 동아리로 전환했으며, '한땀두레'는 마을기업으로 창업했다. 도토리방과후가 진행한 '지역통화 장터'는 이후 마을 차원에서 추진하는 지역통화로 발전했다. 성미산어린이집에서 만들어서 판매했던 비누는 직접적이진 않지만 마을기업인 '비누두레' 창업에 일조했다. 이후에도 동아리들이 더 만들어졌다. 이렇듯 2007년 축제의 경험은 큰 것이었고, 이후 마을은 양적으로나 질적으로 더 성장했다.

2007년 축제의 유래

　'2006 마포마을축제'는 2006년 5월 13일에 성서초등학교와 한강
시민공원에서 열렸다. 이에 대한 평가를 2006년 9월에 진행했다. 유
창복이 주도하여 고은주(마포두레생협), 김수진(성산복지관), 설현정(마포연
대), 위상혁(참나무어린이집), 진상돈(성미산차병원) 등 여섯 명이 모였다. 원
래 성미산마을축제는 공동육아 어린이집을 중심으로 성서초등학교
운동장에서 '전래놀이 한마당'의 형태로 진행했던 것이 시초였다. 이
후 성미산 지키기 운동 과정에서 숲속음악회와 축제를 진행했다. 그
런데 2004~2006년 사이에 마포 지역 내의 여러 시민단체와 연합하
여 '마포마을축제'[42]라는 이름으로 진행하면서 축제가 싱거워졌고 매
번 대동놀이 수준을 벗어나지 못했다. 형식이 독특하지도 않았고, 축
제를 준비하는 사람들도 별로 즐겁지 않았으며, 축제 준비 모임이 행

정적이고 일회적이며 동원 조직의 성격을 띠기조차 했다.

일상성을 갖고 살아가는 이야기를 수다 떨듯이 축제를 풀어낼 수 있으면 좋겠다는 의견이 나왔다. 축제가 갖는 원래 의미는 서로 살아 있음을 확인하는 것이고, 자기의 재능을 나누는 장이 되고, 과거를 회상하며 현재를 성찰하고, 미래의 에너지를 축적해야 했다. 또한 상징성을 가져야 하는데 이는 살아온 과정을 미래 지향적으로, 살아온 이야기들을 모두 이해할 수 있도록 집약하여 과거를 계속 확인하는 것이어야 했다. 이렇듯 일상성과 상징성에 대한 자각이 이때에 비로소 나타났다. 이날 평가 회의는 축제에 대한 새로운 개념을 세워야 함을 확인하는 자리였다. 또한 이는 2007년 축제를 예비하는 것이었다. 축제 성격에 일상성과 상징성이라는 개념에 대한 토론이 좀 더 이루어져야 했다.

2004~2006년에 진행되었던 '마포마을축제'는 마포 지역 전체를 포괄하려 하였고, 이에 따라 준비 주체의 포괄 범위가 너무 넓었다. 각 단위의 특성과 지역(마을)에 맞는 축제가 진행되어야 하고, 그렇게 되어야 축제의 일상성을 잘 살릴 수 있다고 보았다. 즉, 마을축제는 마을의 생활과 생각이 재현되어야 하는데, 일상생활의 느낌과 동떨어진 다른 사회적 가치를 실현하려는 것이 다소 재미없게 느껴졌던 것이다. 마을의 규모가 커지고 다양해지면서 익명성이 발생하게 되었고, 그 결과 초기의 아기자기한 모습을 기대할 수가 없었다. 새로운 차원의 소통과 감수성이 필요했다. 또한 폭발적으로 늘어난 각 단위들은 멀리서 보면 힘차 보이지만, 가까이서 보면 여러 어려움을 겪고 있었

다. 마을의 환경이 바뀌었고 그 속에서 각 단위는 나름의 정체성과 활로를 찾아야 했다. 2004~2006년의 축제에 대해 말하자면, 설렘은 사라지고, 의무감만 늘었으며, 형식화되고 있다고 느꼈다.

"축제는 홍보의 장이 아니라 축제를 진행하는 주체 집단의 관계를 강화하는 장이 되어야 한다. 축제는 일상적인 생활문화를 드러내고, 이를 커뮤니티 구성원들이 공감하며, 그럼으로써 각 개인은 공동체의 일원으로 거듭나거나 유대가 강화될 것이다. 이러한 축제 과정에서 특별한 설명 없이도 모두 한 동네 주민임을 단박에 확인하게 된다."[43]

또한 상징성의 측면에서 축제는 공동으로 확인해온 공동체 고유의 문화적인 코드를 말하는 것이다. 초기 공동육아 어린이집에 집중했을 때에는 공동체성과 생태적 정신이 깃든 전래놀이가 중요한 상징이었고, 성미산 지키기 운동 시기에는 '성미산' 그 자체가 주민들의 공동체성을 확인케 하는 상징이었다. 축제는 그러한 상징성을 확인함으로써 유대감을 더욱 강화시켜야 했다. 이러한 일상성과 상징성의 원리를 구체적으로 실현하기 위해서는 주체인 주민들의 문화예술 역량, 즉 일상을 문화적으로 표출해내고, 동시에 다른 주민의 표출을 공감하고 향유할 줄 아는 문화예술 역량이 고양되어야 했다.

주민들의 문화예술 역량이 형성되고 향상되는 일반적 방식은 '동아리'이다. 어떠한 경로든 성립된 동아리가 중간에 깨지지 않고 오래 유지된다면, 그래서 문화예술적 수준을 심화시켜 간다면, 마을문화(마을축제)의 주체로서 성장해갈 수 있을 것이다. 동아리의 활동이 구성원들 내부 경험만으로 끝나지 않고, 해당 마을 커뮤니티 구성원과 교감하며 공감을 나눌 때, 비로소 동아리의 지속적 동력이 획득된다. 이 교류와 공감이 이루어지는 방식이 바로 '공연'일 것이다. '공감'은 주민들의 환호라고 할 수 있다. 그래서 2007년 축제의 목표는 주민 동아리들이 활성화되는 축제여야 할 것이고, 이를 위해 문화예술 동아리의 형성을 촉진해야 한다. 축제의 내용이 단조롭고, 문화예술적 다양성이 부족하며, 공연의 수준 또한 초보적이라면 결과적으로 참여 주민들의 공감과 감동의 깊이가 낮을 수밖에 없다. 문화예술적 수준이 높으면 그만큼 공감과 감동의 수준과 깊이를 더할 것이고, 이 공감과 감동이 공동체성을 강화하고 종국에는 축제에의 참여를 높이고, 또한 높아진 참여 열기가 다시 문화예술적 수준을 고양시키는 '선순환'을 작동시킬 것이다.

2007년 3월에 정식으로 '2007 성미산마을축제조직위원회'를 구성했다. 축제의 주요 방향은 ① 주민이 직접 참여하고 즐기는 축제로 만들고, ② 축제를 통하여 마을의 문화예술 동아리가 활성화되고 새로운 동아리가 많이 만들어지도록 지원 격려하고, ③ 주요 통행도로를 '차 없는 거리 축제'의 광장으로 조성하고, ④ 도시 속 생태적 감수성이 살아 숨 쉬며, ⑤ 성미산 차 없는 거리(망원동길)의 자전거도로 개설을 축하하며 자전거 문화의 활성화를 꾀하는 것으로 잡았다.

재현과 주체

　재현(再現, Representation)은 집단의 공통 경험과 기억을 어떠한 형태로든 되살림으로써 꾸준히 지속시키려는 행위이다. 농촌이든 도시이든 마을은 집단 경험이 누적되는 장소와 관계망을 가지고 있다. 단지 차이점은 농촌 지역에서는 장소에 강한 영향을 받는다면, 도시에서는 관계망 속에서 이루어지는 사건과 경험에 더 강한 영향을 받는다는 점이다. 사람들의 관계망은 불특정 대중들의 평범한 관계가 아니라 특정한 사람들이 특정한 사건과 행위에 연결되어 있는 지점을 말한다.

　그렇다면 마을적 관계망의 일상성은 무엇이고, 그들이 공통으로 경험하는 마을적 사건은 무엇인가? 도시민은 직장과 주거 공간이 분리되어 있다. 직장 생활의 일상사를 마을 사람들과 나눌 수는 없다.

이것은 서로 간에 재미없는 일이다. 그렇다면 주거 공간에서 일어나는 공통의 사건과 경험이란 무엇인가? 그것은 생애 구성의 문제로 바라봐야 한다. 결혼과 출산, 육아와 교육, 직장 생활의 지겨움과 일상의 취미생활로의 몰입 과정, 일상에서의 소소한 사회적 가치의 추구와 생각의 교류, 불안한 노후에 대한 공동 대응 모색 등의 영역이다. 생애 구성의 문제는 누구도 피해갈 수 없다.

1998년 5월 5일 어린이날을 맞아 성산동의 성서초등학교에서 제1회 '지역과 함께하는 전래놀이 한마당'이라는 제목의 작은 축제가 열렸다. 이 한마당 행사는 '지역과 함께하는'이라는 슬로건 속에 핵심 생각이 담겨 있었다. 1998년에는 우리어린이집 교사회가 주도하는 아이들을 중심으로 한 행사였고, 1999년에는 '날으는어린이집'도 함께 참여하여 규모가 확대되었다. 그러다가 2000년 5월에는 어린이집과 방과후교실에서 주최하는 행사로 더욱 확대되었고 행사 안내 리플릿과 포스터까지 만들었다.

2001년부터는 마포두레생협의 노력에 힘입어 '성미산마을축제'로 확장되었다. '한마당'에서 '축제'로 바꾼 것은 우리 아이들에게 '고향'을 만들어주자는 생각이 가장 컸다. 축제의 주최도 2001년 3월에 구성된 '마포지역협동조합협의회'가 담당했으며, 이전의 어린이집 수준에서 진행했던 것과 달리 행사의 규모가 커졌고 체계화되었다. 2001년 5월 4일 금요일부터 6일 일요일까지 제1회 성미산마을축제가 무려 2박 3일 동안 개최됐다. 이 축제를 위해서 마포지역협동조합협의회에서 '마을축제공동위원회'를 꾸려서 구체적인 실무를 일임했다. 행사는 내용에 따라 사람별로 일감을 나누어서 진행했다. 주요한 사람들은 다음과 같다. 유창복은 영화제와 공연 섭외를, 김종호는 골목 축제 점검을, 장순일은 그림을, 김문주는 의료봉사를, 권규대는 마라톤을, 이진아는 전시 분야를, 최혜숙은 물품과 홍보 분야를, 강용호는 자전거 면허를, 그리고 이경란과 구교선은 홍보와 재정을 담당했고, 각 어린이집에서는 놀이마당을 담당했다.

2002년 5월에는 제2회 성미산마을축제('안녕? 성미산'이라는 이름으로 진행)가 진행되었다. 성미산 개발 반대라는 뚜렷한 지역 현안과 관련시켰다. 마을 축제를 통해 성미산 지키기 운동의 역량을 확인하고, 이를 지역 주민들과 함께하고자 했다. 작은 동네에서 규모 있는 축제를 준비하고 진행하는 것은 대단히 중요한 의미를 갖는다. 성미산 지키기 운동에는 대단히 많은 사람들이 참여했고, 축제 또한 각각의 협동조합 조합원들과 그중에서 특히 문화적 경험이 있는 인맥을 총동원했다. 어쨌든 핵심 주제인 성미산을 한껏 부각시키려 했다.

2003년에는 마포지역협동조합협의회의 참여 단체가 여섯 개로 늘어났다. 참나무어린이집이 새로이 구성되었던 것이다. 성미산 지키기 운동이 한창 진행되던 때였으므로 성미산에서 모든 행사를 진행했다. 숲속음악회가 진행되었고, 성미산 지키기 운동 과정을 담은 다큐영화 「우리 산이야」가 상영되었으며, 마을주민밴드 '마포스'의 화려한 공연이 있었다. 약 500명의 주민들이 참석했다. 아이들 중심의 '전래놀이 한마당'이라는 주제가 지역 현안이었던 '성미산'으로 옮겨가는 과정은 대단히 상징적이었다. 이 성미산이 상징이었으며, 공통의 경험이었고, 서로의 정체성을 확인하는 기억과 역사였다. 따라서 성미산의 기억을 끊임없이 확인하고 재현하고 싶은 내면의 욕구가 발생했고, 그것이 축제의 커다란 상징이 되었다.

2004~2006년 동안 '마포마을축제'라는 제목으로 그 대상과 주제를 확대했던 점은 성미산마을 사람들의 공통의 경험으로 볼 때, 그 맥락이 연결되지 않았다. 환경과 평화, 저항과 연대라는 보다 확대된 가치 추구는 구체적인 지역성과 공통으로 경험한 사건의 기억으로부터 벗어나서 재현될 수 없는 것이었다. 이렇듯 성미산이라는 상징성에 대한 해석은 이해가 가는데, 일상성이라는 코드는 어떻게 지속되었을까?

마을 극장

2007년 거리 축제에서 확인된 것은 각종 동아리에 대한 폭발적 욕망이었다. '두 달 작전' 과정에서 형성된 단위들이 이후에도 지속되고자 했다. 주민들의 문화예술 동아리는 일상적인 공연 활동의 지속을 요구했다.

"문화예술 동아리와 마을 축제, 그리고 일상적인 공연 활동은 서로 맞물려 돌아갈 것이며, 마을의 공동체성을 더욱 고양시킬 것이다."

유창복의 말이다. 마을에 소극장이 있으면 좋겠다는 제안에는 이러한 배경이 있었다. 사실 마을에 연습장과 공연장은 오래전부터 필요했다. 그러나 극장에 대한 필요성을 인지하지 못해서가 아니라 그것을 어떻게 해볼 도리가 없었기 때문에 아예 꿈꾸거나 시도하지 못했던 것이다.

유일하게 마을 극장에 강한 애착을 가지고 있는 이가 유창복이었다. 2006년 무렵부터 계속해서 극장에 대한 이야기를 하고 다녔다. 더구나 2006년 마을 축제를 평가하는 과정에서 더욱 마을 극장의 필요성을 절감하게 되었다. 즉, 이후 마을 문화와 축제 활성화의 핵심은 주민들의 문화예술 동아리들이 활성화되는 것인데, 이를 위해서는 마을 극장이라는 공간이 중요했던 것이다.

2007년 봄에 시민단체들이 공동으로 건물을 짓고 이사를 오겠다는 소식이 들려왔다. 2007년 9월 5일 유창복을 비롯한 몇몇이 환경정의, 함께하는시민행동, 녹색교통, 여성민우회 사무처장과 상임위 이사들과 함께 간담회를 가졌다. 오성규(당시 환경정의 협동사무처장)[44]가 이 논의를 주도했다. 이 시민단체들을 성미산학교를 시공했던 자담건설과 연결시켰고, 2007년 가을에 '나루(이들 시민단체 건물 이름)' 부지(서울 마포구 성산동 249-10)를 선정했다. 이에 마을에서는 소극장 공간을 새 건물에 넣기를 요망했고, 시민단체들도 마을 속으로 들어온다는 측면에서 동의하고 실현가능한 방안을 모색하기로 했다.

2009년 2월에 성미산마을극장이 개관했다. 2007년 여름부터 논의되고 2008년부터 본격적으로 준비되어 드디어 문을 연 것이다. 성미산마을극장은 마을 주민들의 문화예술적 역량을 실현하고, 이를 주민들과 다시 나눌 공간으로 이용할 목적이었다. 결국 주민들의 문화예술 동아리를 안정적으로 유지시키고 더욱 활성화시켜, 동아리 축제로 발전시키기 위한 일상적인 소통(공연) 공간이 될 것이었다. 그러나 재정적으로 독립적이며 안정적인 운영이 가능할 것인지에 대한 답

을 찾아야 했고, 이를 찾지 못한다면 언젠가는 심각한 문제로 나타
날 것이었다. 사실 성미산마을극장을 적자 없이 운영한다는 것은 거
의 불가능에 가까웠다. 재정 문제를 어떻게 해결할지는 현재까지 지
속되는 과제이다.[45]

키워드 인물

유창복

1961년생. 서울시협치자문관(전), 서울시마을공동체종합지원센터장(전). 한마디로 대단한 기획력과 돌파력의 소유자이다. 성미산마을에서 부각되기 시작한 것은 2003년 성미산 지키기 운동이 절정에 달했을 무렵부터이다. 동시에 2003년 성미산학교를 설립하기로 마음먹고 본격적으로 이 일에 관여하기 시작하면서 마을을 기반으로 한 대안학교 방향을 정립하였다. 성미산마을이라는 지역 자원을 활용하여 외부의 교사 자원을 끌어들였다. 2004년 성미산학교의 문을 열고 초기 교감 역할을 맡았다. 그러나 학교 초기의 어수선함을 극복하는 과정에서 큰 스트레스를 받았다. 유창복이 본격적으로 날개를 달기 시작한 것은 2007년 성미산마을축제의 개념을 재정립하고 '거리축제'를 성공적으로 이끌면서이다. 2008년 축제도 성공적으로 개최하였고, 이후 성미산마을극장을 설립하는 데 독보적인 역할을 하였다. 2011년 10월 박원순 서울시장이 보궐선거를 통해 등장하면서 서울시 차원에서 마을공동체 정책을 준비하기 시작하자, 이 과정에 적극적으로 나서기 시작했다. 서울시 전역에서 활동하는 풀뿌리 활동가들을 '집담회'를 통해 결집하였고, 마을공동체 사업의 초기 주체를 형성하는 데 탁월한 능력을 발휘했다.

chapter

5

스스로를 대변하다

처지와 생각이 이러함에도 무슨 이유로 선거에 관심을 보였을까?
지금 생각해도 뚜렷한 이유를 잘 모르겠다.
세상일이 언제나 명확한 것은 아니라지만….
아마도 '성미산' 때문이었으리라.
2009년부터 본격화되기 시작한 성미산 개발과 관련된
사안 때문에 속이 상하고 골치가 아팠다.
자꾸 성미산을 건드리는 것은 근본적으로
우리들의 정치적인 힘이 약하기 때문이라고 여겼다.

느닷없는 선거 연대

2010년 2월 11일 낮, 지금은 사라진 동네에 있는 식당 '강릉집'에서 회동이 있었다. 마포 지역의 3개 정당(국민참여당 마포구위원회, 민주노동당 마포구위원회, 진보신당 마포구당원협의회) 대표와 시민단체(함께하는시민행동, 여성민우회) 대표, 그리고 성미산마을의 대표가 모였다. 성미산마을은 사람과마을의 운영위원장인 위성남과 지역에서 좌장 역할을 하는 김성섭(섭서비)이 참석했다. 이 회동이 있기 약 3주 전에 성미산마을에서 독자적인 '주민 후보'를 내세우겠다는 결정을 했었다. 사고를 쳐도 너무 크게 쳤는데, 이것에 대해 어쨌든 책임을 져야 했다. 주민 후보를 꼭 당선시키고 싶었다. 그러려면 우선 주변 판을 정리해야 했다.

가장 먼저 할 일은 다른 당 후보가 이 지역에서 출마하는 일이 생기지 않도록 하는 것이었다. 강릉집 회동은 후보 조정을 목적으로

——— 2010 마포 지방선거 주민참여정치를 위한 공동선거본부 발족 기자회견.

하였다. 즉, 성미산마을에서 내세우는 주민 후보(당시까지는 누가 될지 정해지지 않았지만)를 인정하고 서로 양해해달라는 제안을 하는 게 핵심이었다. 그런데 다른 당들도 사정은 마찬가지였다. 그렇다면 마포구 차원에서 각급 후보를 조정하여 '공동 후보'로 세팅하자는 의견이 나왔다. 즉, 마포구청장과 서울시의원, 마포구의원 후보들을 계열화시켜서 함께 선거 운동도 하고, 공동 공약도 내세우자는 '선거 연대' 방안이었다. 서로 간의 이해관계가 딱 맞아떨어졌다.

공동 후보를 계열화시킨다는 것은 후보들을 공동 브랜딩한다는 의미인데, 그게 효과가 있으려면 '공동선거 운동본부'도 구성해야 했다. 요걸 또 어떻게 할 거냐? 사실 세 개의 정당은 다 고만고만한 경쟁 상대였다. 따라서 이런 민감한 문제에 대해 어느 누가 전체 판을 만들거나 주도하기가 곤란했다. 이때 가장 중립적일 것 같아 보이는 이른바 '주민 세력'이 나서주는 게 모양새가 좋아 보일 것이다. 그래서 사람과마을의 역할이 컸다. 사람과마을의 역할이라고 해봤자 이 일을 주도하는 위성남과 김성섭, 조경민(조반장)이 전부이지만. 어쨌든 남들이 보기에는 성미산마을이 지역에서 뭔가 큰 역할을 하려는 것처럼 보일 터였다.

처음에는 마포 지역 차원에서 선거 연대를 진행할 생각이 별로 없었다. 그만한 능력도 없었고 피곤하게 굳이 그러고 싶지도 않았다. '그저 주민의 한 사람일 뿐'이었다. 이게 무슨 말이냐고? 이른바 전업적 '지역 활동가'가 아니라는 뜻이다. 지역 활동을 전업으로 한다는 말은 그곳에서 생계가 해결되어야 한다는 걸 의미한다. 또한 지역 활동을 하는 목적과 이유가 따로 있어야 할 것이다. 이런 측면에서 보자면 위성남과 김성섭, 조경민은 지역 활동가의 자격 조건을 가지고 있지도 않았고 그럴 의지도 없었다. 그냥 성미산마을에서 나잇살이나 먹었고, 고참이다 보니 마을 일을 보는 역할을 맡은 것뿐이었다. 지역 사회를 변화시키는 목적의식적인 지역 활동가로 나서겠다는 굳은 결의를 한 게 아니고, 또 그럴 생각은 추호도 없었다. 그냥 재미있으니까 하는 것이고, 둘째는 그래도 나잇값은 해야 하지 않을까 하는 심정에서 나선 것이었다.

처지와 생각이 이러함에도 무슨 이유로 선거에 관심을 보였을까? 지금 생각해도 뚜렷한 이유를 잘 모르겠다. 세상일이 언제나 명확한 것은 아니라지만…. 아마도 '성미산' 때문이었으리라. 2009년부터 본격화되기 시작한 성미산 개발과 관련된 사안 때문에 속이 상하고 골치가 아팠다. 자꾸 성미산을 건드리는 것은 근본적으로 우리들의 정치적인 힘이 약하기 때문이라고 여겼다. 또 조만간 도래할 성미산 싸움에서는 높은 긴장과 피곤함이 예정되어 있었다. 그래서 선거를 생각하게 되었고 우리가 직접 내세운 구의원 하나 만들어보자는 생각에 이르게 되었다. 문제를 근본적 측면에서 한방에 해결할 수 있는 깔끔한 방안으로 여겼다. 지금 생각해보면 과연 구의원이 문제 해결의 '한방'일까에 대해서는 의문이 든다. 이때까지만 해도 선거가 뭔지도 모르면서, 뭔가 편하게 문제를 해결해보려는 생각이었는데, 이게 정말 순진한 생각이었다.

'강릉집' 회동은 내심 '우리 주민 후보를 인정해주세요.'라는 걸 가장 큰 목적으로 삼았다. 좀 얍삽하지 않은가? 조금이 아니고 많이 얍삽했다. 당시의 흔쾌한 합의로 인해 마포구에서의 선거 연대는 급물살을 탔다. 이후 4월 12일, 마포구청 앞에서 '2010 마포 지방선거, 주민참여정치를 위한 공동선거본부'를 발족하는 기자회견이 있었다. 기자는 별로 없는 기자회견이었지만 공동 후보들을 공식적으로 확인할 수가 있었다. 이리하여 마포구 전역에서 구청장과 시의원, 구의원 단위의 후보군이 정해졌고, 본격 선거 운동에 돌입하였다. 아래 표는 그날 발표된 공동 후보의 명단과 득표 결과이다.

성격	이름	소속	득표	득표율
마포구청장 공동 후보	김철	국민참여당	18,290표	10.75%
서울시의원 공동 후보				
제1선거구(용강·대흥·염리·신수동)	홍성문	국민참여당	4,389표	12.44%
제2선거구(공덕·아현·도화동)	이봄철	국민참여당	2,812표	8.13%
제4선거구 (망원2·연남·성산1·성산2·상암동)	이수정	민주노동당	14,456표	25.98%
마포구의원 공동 후보				
가선거구(용강·신수동)	반진규	국민참여당	3,105표	15.37%
나선거구(대흥·염리동)	윤성일	민주노동당	3,253표	22.05%
마선거구(서강·합정동)	이봉수	국민참여당	3,047표	14.44%
바선거구(서교·망원1동)	오현주	진보신당	4,656표	20.31%
사선거구(망원2·연남·성산1동)	문치웅	무소속 주민 후보	4,901표	18.33%
아선거구(성산2·상암동)	오진아	진보신당	7,188표	25.31%

각급 10명의 후보 중에서 당시 진보신당의 오진아 구의원 후보가 유일하게 당선되었다. 그것도 최고 득표라는 놀라운 결과였다. 오진아 후보의 당선은 순전히 진보신당의 독자적 노력과 실력, 그리고 당시 민주노동당의 후보였던 김세규와의 후보 단일화의 시너지 효과 때문이었을 것으로 본다. 그러나 전체적 선거 결과로 본다면 명백한 실패였다. 기초의원 후보들의 득표 총합이 시의원, 구청장 후보에게로 고스란히 반영되지 못했다. 즉, 단순 합계로는 마포구청장 후보였던 김철의 득표(18,290표)가 기초의원 후보들의 총합(26,150표)보다 훨씬 낮은 결과를 보였다. 또한 시의원 후보들의 득표를 보더라도 기초의원 후보의 득표와 불일치를 보인다. 시의원 제1선거구의 홍성문의 득표(4,389표)가 구의원 후보 반진규와 윤성일의 득표 총합(6,358표)보다 낮았고, 또한 제4선거구 시의원 후보였던 이수정의 득표(14,456표)는 구의원 후보 문치웅, 오진아의 득표 총합(12,089표)보다 많은 등 불일치가 뚜렷했다. 이는 공동 선거 운동이 효과적으로 작동하지 못했던 결과였다. 실제로 당시 선거 운동 기간 동안 공동선거본부가 제대로 가동되지 못했고 본부가 따로 있지도 않았다. 공동 선거 운동이 가능하기 위해서는 공동선거본부가 좀 더 규모 있게 구성되고, 선거 일정과 선거 방식을 효율적으로 가동할 필요가 있었다. 단지 최소한의 효과, 즉 '공동 후보'라는 브랜드를 공유하는 정도였다. 왜 그걸 못했냐고? 여러 가지 이유가 있겠으나 가장 중요한 요인은 이를 추진할 사람(활동가)이 없었다는 데 있다.

생소한 주민 후보

성미산마을에서 선거에 참여했던 경험은 2002년 6월 13일 지방선거 때도 있었다. 2002년 당시에는 2010년도와 달리 구의원을 각 동별로 한 명씩 선출했다. 당시에 마포구 성산1동, 서교동, 연남동에서 세 명의 '성미산지킴이'들이 구의원 후보로 각각 출마했다. 성산1동에서는 성미산 지키기에 앞장섰던 김종호(당시 36세. 우리어린이집 조합원, 성지연 공동대표)였고, 연남동에서는 지역 토착민을 결집하는 데 앞장섰던 이현찬(당시 68세. 마포발전산악회장, 성지연 공동대표)이었고, 서교동에서는 홍대 앞에서 문화예술 활동을 하던 조윤석(당시 38세. '황신혜밴드' 베이스 겸 보컬, 희망시장준비모임 대표, 성지연 집행위원)이었다. 환경운동연합에서는 이들 세 명을 '녹색후보'로 선정했고, 이 '녹색후보'를 선거 공보물에 표시하기도 했다.

이때는 성미산 개발 반대(2001~2003년)라는 당면한 과제를 전면에 내걸고 집중했다. 성미산마을에서 직접적으로 내세웠던 김종호 후보의 경우는 따로 선거 공약조차 내걸지 않았다. 공약을 개발할 여력이 없기도 했을뿐더러, 당선을 현실적인 목표로 삼지 않았고(최소한 성산1동의 후보 김종호의 경우는 그러했다.), 선거 과정을 통해 성미산 문제를 널리 부각시키고 주민들의 바람과 의지를 충분히 알리는 것으로 만족했기 때문이다. 당시 선거 운동은 마치 축제나 놀이를 하듯 진행했다. 자전거에 소형 스피커를 매달고 동네를 누비며 홍보물을 나누고, 성미산을 지키자고 구호를 외치고 다니는 정도였다.

투표 결과는 성산1동 김종호(2,035표 / 31.0%) 2등, 연남동 이현찬(2,021표/31.9%) 2등, 서교동 조윤석(1,184표/19.7%) 3등으로 모두 낙선했다. 그러나 처음으로 나선 선거에서 이 정도의 성적표를 거둔 것은 이후 성미산 지키기 운동에 큰 자신감을 가져다주었다. 특히 성미산 개발이라는 지역 현안을 이슈화시키는 데 성공했고, 이후에 서울시와 마포구청에서도 대하는 태도가 달라지는 결과를 낳았다.

그러나 2010년에는 상황이 달랐다. 계속 반복되는 성미산 개발 관련 사안에 대한 스트레스가 많았고, 근본적인 대응을 해야 한다는 생각이 있었다. 이 사안에 대해 정치적으로 쐐기를 박아서 더 이상 성미산 개발이 논의에 오르지 못하도록 하고 싶었다. 이를 위해 2010년 지방 선거에 독자적인 후보를 내세우고자 했다. 이 하나의 생각이 무모한 도전을 감행하게 한 동력이었다. 이 과정에서 2002년의 경험은 사실 별 도움이 되지 못했다. 그때와는 상황이 크게 달랐기 때문이다. 그러나 일단 무슨 일을 성사시키기 위해서는 그 일에 참여하는 사람들을 조직해야 하는데, 그 일이 생각보다 쉽지는 않았다. 어디서부터 물꼬를 틀까? 성미산마을에서는 무슨 일을 하면 그냥 쉽게 쉽게 이루어지는 걸로 생각할 수 있는데 전혀 그렇지 않다. 누군가의 노력 없이 자동적으로 되는 건 하나도 없다. 일은 사람이 하고, 사람을 모으는 것은 새로운 조직을 만드는 것이며, 조직은 과정이 필요했다.

2009년 8월 10일에 이러한 일, 선거에 관심 있는 사람들의 모임을 처음 시작했다. 이름도 '주민자치실현모임(주자모)'으로 했다. 일단은 마포구의 예산을 분석하자는 의견이 나왔고 이를 중심으로 이슈를 만들어서 이후에 선거 공약에 반영하는 것까지 염두에 두었다. 선거에 처음 대응하는 처지에서 뭐라도 해야 했고 구 예산을 분석하면서 접근하는 게 당연하겠다 싶었다. 2009년 하반기에 여러 차례에 걸쳐, 마포구 예산에 대한 학습과 예산 분석 작업을 진행했다. 그 결과 그해 12월에는 마포구청 앞에서 기자회견을 진행하기도 했다.

지금 생각하면 이러한 접근 방식에 대해 회의적이다. 지자체 예산을 분석한다고 해서 뭔가 이슈가 뚜렷하게 잡히는 것도 아니고 더구나 평소에는 별 관심도 없다가 갑자기 선거를 준비한다면서 부산을 떠는 것도 좀 그랬다. 오히려 평소에 지역 사회에 관심을 가지고 있거나 관여하고 있었다면 굳이 예산을 분석하네 어쩌네 할 것도 없이 그냥 알 만한 사안일 터인데 말이다. 지금 생각하면 그저 뭘 모르는 '초짜'들의 아마추어리즘으로 여겨진다. 더구나 기초의원 선거는 주민들이 후보를 잘 알지 못할뿐더러 관심도 별로 없다. 그런데 거기에 공약

마포풀넷 주민 후보 선출대회.

박원순 변호사의 주민 후보 지원 방문.

개발 운운은 쓸데없는 짓거리다. 공약이 중요한 게 아니라 조직이 중요했다. 가장 중요한 움직임은 2010년 1월 18일에 있었다. 사람과마을은 성미산마을 단체 대표자 회의를 소집할 권한을 가지고 있었다. 사람과마을은 사단법인이자 비영리단체로 마을 일만을 담당하는 단체로 2007년에 만들었다. 외부적으로는 성미산마을을 대표하지만 마을 내부적으로는 그냥 회의 소집자 역할을 하는 정도이다.

그러나 회의 소집 권한은 대단히 중요하다. 회의 소집자는 배치의 묘미, 음모(?)의 즐거움을 꾀할 수 있다. 전통적으로 성미산마을 단체 대표자 회의의 주요 안건은 마을 축제에 관한 것이었다. 그런데 여기에 선거 참여 안건을 집어넣었다. 이날 회의에서 독자적인 "주민 후보를 앞세워 지방 선거에 참여"한다고 결정했다. 이때의 결정 내용은 하나의 사건이었고 신문[46]에도 보도되었다.

큰일을 저질러났다. 공식적으로 결정까지 했으니 어떻게든 일을 진척시켜야 한다. 이제 앞으로 어떻게 풀어야 하나 막막했다. 무릇 한두 개의 개념과 생각을 떠들고 다니면서 사람들의 관심을 이끌어낼 수는 있으나, 그 일을 구체적으로 진행하는 것은 전혀 다른 차원이다. 이제부터는 에너지를 집중해야 했다. 1월 18일 선거 참여 결정 후에 가장 먼저 해야 할 일은 후보를 만드는 일이었다. 주민 후보를 어떤 과정을 거쳐 선출할 것인가 하는 문제가 나타났다. 그런데 '주민 후보'가 뭘까? 주민 후보니까 주민이 직접 후보를 내세우는 것을 의미할 텐데, 주민들 중 누가 선출한다는 것이지? 실제는 성미산마을의 주민들이 선출하는 성미산마을 주민 후보인데, 이것을 그냥 주민 후보라고 해도 되나? 이런저런 생각이 들었으나 그래도 거짓말은 아니겠다 싶었다. 주민들이 후보로 선출하면 당선된 거나 마찬가지인데 주민들 중의 일부가 선출한 것이니 말이다.

그런데 현행 선거 제도에서는 구의원 후보조차도 정당 추천제이기 때문에 특정 정당에 소속되지 않는 이상 무소속으로 당선되기는 대단히 어렵다. 그러나 마을의 분위기로서는 특정 정당을 지지할 수도 없는 노릇이었다. 마을 사람들은 다양한 정치적 견해를 가지고 있었고, 이것을 어느 하나로 통일시키는 것은 불가능하다. 따라서 마을 사람들의 광범위한 지지를 얻기 위해서는 무소속이어야 했고, '주민 후보'여야 했다. 주민 후보는 정당의 추천을 받지 않고 지역 주민들이 직접 선출하는 자(시민 공천이나 주민 공천)이며, 그러기 위해서는 현실에 있어서 선거법을 고려하지 않으면 안 되었다. 무작위 주민을 대상으로 한 선출 절차는 사전 선거 운동에 해당되기 때문이다.

그래서 생각해낸 방안이 선거 시기에 한시적인 주민 조직을 만들어서 그 조직 구성원들로 선출 절차를 가지자는 것이었다. 이것이 '마포풀뿌리좋은정치네트워크(마포풀넷)'의 구상이었다. 선거가 끝나면 해산하기로 한 일회용 주민 조직을 만들기로 한 것이다. 심지어 이 이름도 우리가 생각해낸 것이 아니라, 전국 조직인 '풀뿌리좋은정치네트워크(풀넷)'에서 빌려왔다. 2009년 7월부터 전국 단위의 풀뿌리 조직과 연대하여 2010년 지방 선거에 대거 진출하자는 움직임이 있었다. 그 조직으로 2010년 2월 17일 성미산마을극장에서 풀뿌리 단체들의 전국 조직인 '풀뿌리좋은정치네트워크' 발족식이 진행되었다.

2010년 2월 20일 마포풀뿌리좋은정치네크워크 발기인 대회를 가졌다. 뒤이어 회원 모집에 박차를 가했으나, 예상과는 달리 200여 명 정도가 참여하는 데 그쳤다. 성미산마을 주민들이 1,000여 명은 된다고 하나 실제로 뭔가 일을 추진했을 때 반응을 보이는 숫자는 이보다 훨씬 적다. 주민들이 한마음 한뜻으로 똘똘 뭉쳐 다니지 않기 때문이다. 각자가 따로 살고 있으며 무슨 새마을운동처럼 일사불란한 동원 문화는 아니다. 1,000여 명 중에서 200여 명이 정치에 관심을 보여준 것이다. 그러면 나머지는 뭐지? 그냥 관심이 없거나, 반대하고 있거나, 바쁘거나 아마 그럴 것이다. 자기의 관심사가 다르기 때문에 어느 한 가지를 기준으로 주민을 어쩌네 저쩌네 판단할 수 없다. 정치에 관심이 적다고 해서 그 사람의 의식이 뒤처졌다고 간단하게 치부할 수는 없을 것이다.

3월 18일에는 '마포 지역 좋은 정치를 위한 열린 토론회'를 개최했다. 그동안 각 단체의 대표자들끼리 모여서 논의를 했다면 이 자리에서는 단체 소속의 많은 사람들이 참여하여 서로 이야기를 나누고 선거에 공동 대응하자는 결의를 높였다. 이어 3월 27일 마포풀넷에서 성미산마을의 주민 후보를 선출하는 투표를 진행했고, 후보자 선출 대회를 열었다. 마포풀넷의 주민 후보로 문치웅(성미산대책위원회 위원장)이 선출됐다. 엄밀하게 보면 주민 후보가 아니다. 마포풀넷 후보다. 그래도 어쨌든 일부 주민들이 선출했으므로 주민 후보라고 불렀다.

2010년 5월 3일에는 전국 풀넷의 후보자들끼리 모여 풀뿌리 후보자 대회를 성미산마을극장에서 가졌다. 이어 5월 6일에는 문치웅 후보 선거사무소 개소식을 가졌다. 이렇듯 어렵고 힘든 선거 운동을 진행했으나 6월 2일 투표 결과는 낙선이었다. 마포구 제4선거구(연남동, 성산1동, 망원2동)에서 문치웅 후보의 득표는 총 4,901표(18.33%)를 얻었으나, 3위에 그쳤다. 이로써 성미산마을이 선거에 참여하기로 결정한 때로부터 6개월의 기나긴 과정이 끝났다. 후보자를 제외한 마을 주민들의 선거에 대한 경험이 거의 전무한 상황에서 연인원 약 150명이 자원 활동으로 참여했던 열정적인 지원 속에서 진행된 선거였다. 결과에 대한 아쉬움을 말로 다 표현하기가 어렵다.

마을식
선거 운동은 개뿔!

선거 운동은 어떻게 했을까? 이번에는 당선시키리라는 패기를 한껏 뽐냈으니, 선거 운동도 뭔가 다르지 않을까?

초기 선거 전략은 이러했다. 3월 하순에 선거 전략 워크숍을 개최하고 막연하게 생각했던 것을 정리했다. 기존 정당들이 진행하는 '구태의연한 방식'에서 벗어나 좀 더 창의적으로 진행하자는 것이 공통의 생각이었다. 즉, 주민들의 자발적인 참여를 바탕으로 후보자가 내세울 정책을 조직하고, 선거 운동의 창의적인 방법들을 만들어내자는 것이었다.

'구태의연한 방식에서 벗어나 창의적인 방식'으로 하자? 구태의연한 방식, 구태의연, 구태, 구태! 창의적인 방법! 창의적, 창의! 그래, '마을식 선거 운동'을 하자! 곧 죽어도 주민 후보인데, 남들과 똑같이 구태의연하게 할 수는 없지 않은가!

그래서 몇 가지 아이디어를 떠올렸다. 그러나 기껏 떠올린 아이디어가 마을의 각 단체별로 사랑방 모임을 갖거나, 단체 내의 자체 회의 시간에 참여하여 소개와 설명을 하자는 것이었다. 또한 가장 중요하다고 생각되는 연고자 카드를 작성하자고 했다. 그러나 성과는 전혀 없었다.

선거에 성미산마을을 위한 후보가 나서기만 하면 성미산마을 주민들은 한마음 한뜻으로 똘똘 뭉쳐서 모두가 내 일처럼 나서리라고 막연하게 기대한 것이 얼마나 순진한 생각이었던가! 생활 의제를 개발하자고 하면 성미산마을 주민들의 골목길 생활 의제가 엄청나게 쏟아질 거라는 기대를 왜 하게 되었을까? '골목길 의제!' 얼마나 멋진 말인가? 뭔가 사람들의 관심을 확 당길 것 같은 그런 느낌? 그러나 '마을식 선거 운동'은 개뿔!

4월 19일 본격적인 예비 선거 운동이 시작되었다. 후보와 함께 당장 무언가를 해야 했다. 주민 후보 선거사무소의 사무장을 맡은 위성남은 입술이 바짝 타들어갔다. 이른바 '마을식 선거 운동'을 그만 접어야 했다. 왜? 선거를 마을 안에서만 치르는 게 아니라 지역 사회 속에서, 선거구에서 치르기 때문이다.

어쩔 수 없이 일반적(전통적) 선거 운동 방식으로 전환했다. 일반적 선거 운동이란 뭔가? 아주 간단하다. 길거리 지나가는 사람에게 명함 나눠주기, 상가(가게) 방문해서 주인에게 인사하기, 출퇴근 시간에 지하철 출입구에서 큰 소리로 인사하며 명함 나눠주기, 저녁에 식당을 돌면서 술자리 손님들에게 인사하기 따위를 말한다. 그야말로 딱 '구태의연'한 방식이다.

후보의 인지도를 높여야 했다. 무소속 후보자에게 있어서 관건은 인지도였다. 아침, 낮, 저녁 시간대를 정해서 후보와 수행원이 직접 지지를 호소하거나 지하철 입구에서 하염없이 명함 나눠주기와 인사를 반복했다. 이러한 행위를 우리만 하면 좋은데 모든 후보가 똑같이 한다. 무슨 차별성이 있겠는가? 그래서 선거 운동 트럭을 대여하고, 선거 운동원을 고용해서 후보자를 알리는 어깨띠를 하고서 골목마다 돌아다니는 것이다. 왜냐하면 조금이라도 더 후보자를 노출시키기 위해서. 그 짧은 시간 동안에 말이다.

그래도 그게 효과가 있다. 사람들이 일반적으로 '구태의연한 방식이다'며 싫어하는 그 방식이 그래도 효과가 있다. 심정적으로는 조금도 인정하고 싶지 않지만 말이다.

2010년 5월 20일부터 본 선거 운동(2주일간)이 시작되었다. 투표일이 임박하자 마을 주민들로 구성된 자원봉사자들이 선거사무소에 나타나기 시작했다. 연인원 150명 정도의 인원이었다. 선거 운동을 격려하기 위해 음료수를 사들고 방문한 김미희(솔바람)가 썰렁한 사무실을 보더니, 기가 막혀하면서 동네 엄마들에게 전화질을 한 덕택이었다. 그것도 선거사무장 욕을 막 하면서. 사무장이란 작자가 그래, 어쩌고저쩌고….

이런 난리법석에도 불구하고 성미산마을을 벗어나 다른 지역에서 지지도를 단기간에, 비약적으로 끌어올리기란 불가능했다. 당시

선거 운동 과정에서 가장 아쉬웠던 것은 우린 '구태의연'하게 선거 운동을 하지 않을 거라면서 선거용 트럭으로 마포두레생협의 생활재 공급 트럭을 빌려 사용했다는 점이다. 남들은 2.5톤 타이탄 트럭을 빵빵하게 꾸며서 다니는데 말이다.

정치살롱

선거가 끝났다. 아쉬움이 많았지만, 그래도 뭔가 해볼 수 있겠다는 자신감을 가질 수 있었다. 이제 지역에서 어떻게 일상적으로 정치에 대한 관심을 계속 강화시킬 수 있을지 고민할 차례였다. 정치학교를 만들어보면 어떨까? 정치살롱을 해볼까?

2010년 10월에 '마포월요정치살롱' 프로그램을 진행했다. 선거사무실로 사용했던 '살롱 드 마랑' 공간은 나름 살롱 같은 분위가가 있는 곳이었다. 이 공간은 조경민의 아내인 이마랑을 위해 꾸민 곳이었다. 어쨌든 '살롱 드 마랑'에서 정치살롱을 진행한다니 뭔가 있어 보였고, 더구나 성미산마을을 배경으로 한다니 더더욱 멋있는 느낌이었다. 이것도 월간 『시사IN』에 기사[47]로 실렸다. 진행 방식은 유명하거나 관심 있는 정치인을 초청하여 토크쇼 형식으로 대담을 진행하는 것이었다. 토크쇼의 사회는 2010년 마포구청장 민주당 예비후보로 나섰다가 예비경선에서 탈락한 바 있는 시사평론가 유용화가 맡았다. 유용화는 주민 후보를 뒤에서 많이 도와준 인연이 있었다. 이 정치살롱은 2011년 상반기까지 진행했다. 초청자는 이렇다. 제1회(2010년 10월)에는 심상정 전 진보신당 대표를 초청했고, 제2회(2010년 12월)에는 이정희 민주노동당 대표를, 제3회(2011년 3월)에는 이인영 민주당 최고위원을, 제4회(2011년 5월)에는 선대인 김광수 경제연구소 부소장을, 제5회(2011년 6월)에는 천정배 민주당 최고위원을, 제6회(2011년 7월)에는 오진아 마포구의원을 초청했다.

그러나 횟수를 거듭할수록 점차 흥미가 줄어들었다. 또한 참여 인원도 생각보다 많지 않았다. 평균 10~20명 정도의 수준이었다. 유명한 정치인과 자신의 일상생활이 어떻게 구체적으로 연결되는지가 확인되지 않은 이유도 있을 것이다. 또 당일 행사 소식을 널리 알릴 만한 매체도 없었다. 마포와 성미산마을을 배경으로 대단히 뛰어난 섭외력을 갖추었으나, 그 파급력은 확인할 수가 없었다. 처음에 기획할 때는 이 정치살롱이 진행되는 과정에서 뭔가의 주체가 형성되지 않을까 하는 막연한 기대가 있었다. 횟수가 거듭될수록 참석자들이 엄청나게 늘어나고 많은 관심을 불러일으킬 거야! 마포에 정치의 불바람이 불게 될 거야! 그러나 별 뚜렷한 성과를 내지 못하고 중단했다. 그야말로 '뻘짓거리'가 되고 말았다. 지금 생각하면 '우리가 언제 뭐를 하기는 했었나' 하는 느낌이다. 이러한 뻘짓거리의 원인은 2010년 선거에 대한 경험을 제대로 평가하지 못했던 데에 있을 것으로 본다. 지역에서 정치란 무엇인지, 더구나 '생활 정치'란 무엇인지에 대한 깊은 성찰이 있어야 했다. 더 중요하게는 지역 사회에서 새로운 관계 망을 구축하기 위한, 주민들의 다양한 주체성을 드러내기 위한 노력에 초점을 맞추어야 했다. 그러나 또다시 이벤트 중심의 활동을 기획하고 진행했던 것이다.

지역 사회를
발견하다

　아마추어리즘의 극치, 지극히 공상적이고 비현실적인 전략, 현실
에 대한 무지를 바탕으로, 더구나 '무소속' 후보라는 결정적 약점을 갖
고서도 위력적인 득표를 한 것은 다행이라고 해야 하나? 선거가 끝나
고 전체적인 선거 평가를 할 겨를도 없이 곧바로 성미산 개발 반대 싸
움에 돌입하게 되었다. 상황이 매우 급박했고, 성미산에서는 매일 전
쟁 같은 상황이 발생했다. 선거가 끝난 지 3개월이 지난 9월 16일에야
선거사무소 해단식을 진행했다. 그러나 선거 참여 경험에 대한 평가
와 깨달음은 한참이 지난 뒤에나 이루어졌다.

　가장 중요한 깨달음은 '지역 사회'에 대한 발견이다. 선거 기간 동
안 성미산마을이라는 독특한 커뮤니티의 경계를 벗어나서 지역 사회
를 대상으로 낯선 경험을 집중적으로 했다. 골목과 길거리를 오가는

무수히 많은 사람들, 정치와는 전혀 무관하게 보이는 평범한 지역 주민들이 결국은 투표장을 향하며, 평소에는 드러내지 않은 자신의 생각을 결정적으로 드러낸다. 그 결과 새로운 당선자가 탄생하며, 새로운 정치 지형이 형성된다. 아무런 생각이 없을 것 같은, 지극히 무관심해 보이는 이 평범한 주민들은 홀로 고립되어 있는 게 아니라 자신들의 고유한 커뮤니티를 구성하고 있다. 이러한 지극히 당연하고 평범한 사실을 이제야 발견한 것이다. 지역의 평범한 주민들이 자신의 커뮤니티를 가지고 있다? 성미산마을 사람들만 그러는 게 아니고?

사실 선거 운동 과정에서 가장 난감했던 것은 정작 본격적인 선거 운동 기간이 도래하자 어떻게 해야 할지 몰라서 대단히 당황스러웠다는 사실이다. 매일 매시간 후보의 일정을 짜고, 후보가 무엇을 해야 할지를 정해주어야 하는데 도대체 어디 가서 누구를 만난단 말인가? 지역 전체와 비교할 때 그야말로 한줌도 안 되는 성미산마을 커뮤니티를 벗어나는 순간, 마을 바깥은 완전 낯선 세계였다. 그러면서도 감히 선거에서 당선되겠다고 목표를 세웠다고? 지금 생각하면 5,000표 정도를 얻은 것만도 대단한 결과다.

지역 사회를 발견하게 된 계기는 선거 운동 기간에 있었다. 구청장 예비후보 중에서 당 내부 경선에서 탈락한 후보 한 사람이 자신이 알고 있던 지지자들을 주민 후보에게 이리저리 소개시켜 주었던 것이다. 누구를 만나봐라, 연락해놓았다, 어디 가게를 가서 인사를 해라, 누구에게 전화를 해봐라 하는 식이다. 그 과정에서 거대 정당의 열성 지지자들도 알게 되고, 지역의 이런저런 조직이 선거 때가 되면 이렇게 저렇게 작동을 한다는 사실도 알게 되었다. 예를 들면 골목길에 있는 어떤 복덕방에는 평소에 고스톱을 즐기는 5~6명의 어르신들이 있는데, 그곳에 가서 인사를 하면 된다, 어디어디 미장원에 가면 호의적일 거다, 이런 식으로 소개한다.

보통 정치에 관심이 많은 사람들은 자신의 의사를 표출하는 방식으로 SNS나 인터넷을 많이 활용한다. 대개는 특정한 성향을 가진 사람들끼리 모이게 된다. 즉, 끼리끼리 모이며, 어디에 거주하는지는 별로 중요하지 않다. 이것이 가장 기초적인 사실인데도 불구하고 정당을 하는 사람들은 잘 알지 못한다. 2012년 4월 총선을 앞두고 당내 예비경선이 한창일 때였다. 모 당의 예비후보자 한 사람은 자신의 페이스북 친구 5,000명이 중요한 선거 운동 기반이 될 거라고 여기는 황당한 경우도 있었다. 지역 사회에 관계를 맺고 있어야 하는데도, 진보 정당 관계자들이 지역 사회에서는 이른바 '듣보잡'일 경우가 많다. 평소에 지역에서 어떠한 구체적인 활동을 해본 적도 없고, 지역이 어떻게 움직이는지를 알지 못하거나 관심이 없어서다.

이슈 중심의 활동이 세상을 바꿀까? 권력의 열쇠는 골목길을 지나다니는 무심한 표정의 아저씨, 아줌마, 갑남을녀가 가지고 있는데도 말이다. 세상은 유목민과 토착민으로 나뉜다. 유목민은 큰 선거에서 바람을 불러일으키지만, 토착민은 작은 선거에서 결정적 영향력을 발휘한다. 특히 보궐선거에서 자주 드러나는 요지부동한 절대적 표심은 토착민이 움직인 결과이다. 유목민은 작은 선거에 잘 나타나질 않는다. 그들은 이슈가 아주 섹시하게 드러나야 비로소 움직이기 시작한다. 이와는 반대로 지역 사회 활동의 중요성을 깨닫고 지역에서 뿌리내리기 위해 노력하고 있는 활동가들도 있다. 마포의 '민중의집'은 주목할 만한 실험이며, 위의 '듣보잡'과는 전혀 다르다.

어쨌든 지역 사회는 매우 복잡하고 섬세하게 구성되어 있다. 그 안에는 또 다른 세계가 펼쳐져 있으며, 국가 권력 시스템의 바탕 층위를 이루고 있다. 성미산마을이 있는 성산1동만 보더라도 성미산을 둘러싸고 각종 스포츠 커뮤니티가 있다. 즉, 체육 시설에서 운동을 하는 '역도부', 배드민턴 동호회, 신체조부, 산악회 등 그 인원만 해도 수백 명에 이른다. 그리고 공식적인 조직인, 이른바 '관변단체(스스로가 그렇게 부른다.)'라고 부르는 각종 조직들(바르게살기협의회, 새마을운동협의회, 새마을부녀회, 방위협의회 등)과 주민자치위원회, 자영업 상가들의 상인회, 각종 동호회 등이 있다. 이런 다양한 조직망 속에서 지역 현안에 대해 의견들이 흘러다니며, 여론을 형성하고 있다. 또 가장 중요하게는 통반장 시스템과 연결된 행정기관이 존재한다. 사람들은 흔히 행정기관은 지역의 토착 세력에게만 편중되어 있고, 시민사회 등 다양한 목소리에 대해서는 눈을 감고 있다고 여긴다.

이것은 절반은 맞지만 절반은 틀린 생각이다. 예를 들어, 만약 내가 마포구청의 어떤 부서의 주무관이라고 치자. 가령 '응급처지 안전교육'에 대한 행사가 잡혀 있고 이곳에 구청장이 참석한다면, 담당 주무관으로서는 행사 진행과 참석 인원 확보에 총력을 기울이지 않을 수 없다. 그래서 가장 효과적인 방식으로 통반장 라인에 기대거나, 주요한 관변단체에 연락을 하지 않을 수 없다. 지역의 일반 주민들에 대해서 직접적인 참가 독려를 어떤 방식으로 한단 말인가? 그런 전시 행정식 행사를 중단해야 하는 거 아닌가? 이러한 식의 문제 제기를 하는 게 옳기는 하다. 그러나 담당 주무관의 처지에서는 그러하지 않다. 옳고 그름을 떠나서 구청의 행사에 참여하는 주민들이 어떤 시스템을 통해서 동원되는지가 대단히 중요한 지점이다. 이것이 행정의 주민 동원 시스템의 기본이다. 이 시스템에 시민사회는 그 리스트에 올라 있지 않다. 이 관점에서만 행정 입장을 살피면, 시민사회는 존재 자체가 없다. 왜냐하면 그들은 동원되지도 않고, 접촉할 수도 없는, 손에 잡히지 않는 존재들이기 때문이다. 존재가 없으면 구정의 대상도 아니다. 존재가 없는데 정책이 시행될 리가 없고 사업이 없으니 예산도 없다. 행정과 지역은 이런 식으로 연결되고 작동된다.

행정은 단지 '기계'와 같은 존재이다. 누가 그 기계와 접속하고 작동시키느냐에 따라 방향이 달라진다. 이것이 행정에 대해 가져야 할 시민사회의 기본 관점과 태도이다. 따라서 여기서 중요한 것은 '주체'의 형성과 등장이다. 이 주체란 당사자를 말하며, 어떤 식으로든 움직임을 보이고 세력화해야 한다. 예를 들어, 2011년 주민참여 예산지원 조례 제정이 각 지자체별로 진행된 바가 있다. 지자체 예산 중 일부를 주민들이 직접 참여하여 사용할 수 있도록 하자는 대단히 획기적인 정책이었다. 이러한 조례 제정을 위해서 '함께하는시민행동' 등의 시민단체는 오래전부터 노력을 해온 바가 있었다. 마포구에서도 당시 행정안전부의 표준조례안에 따라 구의회에 이 조례안을 제출하였다. 마포구의회에서는 이 조례안에 대해 탐탁지 않게 반응했고, 그래서 몇몇 시민단체 사람들이 구의회에서 이 조례안이 어떻게 다루어지는 지를 살피겠다고 방청을 요구했다. 일종의 압박 수단이었다고 할까? 그러나 방청 요구는 묵살되었고, 결국 조례는 상당히 후퇴된 안으로 수정되어 통과되었다. 여기서 문제의 핵심은 구의원들의 행태나 구청의 시각만이 아니라 주민참여 예산제에 참여할 주민들이 과연 있는가라는 점이다. 주체가 미비한데, 제도만 잘 갖추어지는 게 무슨 소용일까라는 생각을 떨칠 수가 없었다. 결국은 주체가 약한 탓에 제도도 부실해지고 말았다.

주민 주체의 형성을 어떻게 이룰 수 있을까? 관점을 조금만 바꾸어보자. 주민 주체는 누가 대신 형성해주는 것이 아니다. 그것은 주민 스스로 진행하는 것인데, 지역의 활동가는 단지 그 과정에서 조력자 역할을 하면 된다. 비정치적인 조직이 가장 정치적이다. 사실 역사적으로 주민들이 자기 자신과 관련된 일이나 지역 현안에 대해 주체적으로 나선다는 것은 쉽지 않았다. 언제나 친절한(?) 국가 권력과 행정력이 주민을 대신하여 모든 일을 대신해주었고, 또한 시민단체 등 활동가들이 대신 나서 주었다. 당사자들이 스스로 나서는 것은 굉장히 낯선 일이다. 우리의 집단 무의식 속에 내장된 주민 자치, 주민 참여, 스스로 알아서 하기 등의 역사적 무의식 코드는 대단히 약하다.

지역 사회는 다양한 층위들로 구성된 '복잡계'이다. 그러나 지역 사회의 권력은 50대 이상의 남성 문화권이 장악하고 있다. 이것을 막연하게 '토호'라는 말로 치부해서는 안 된다. '토호'라는 명칭은 정확하지 않을뿐더러 문제를 왜곡할 수가 있다. 분석은 구체적이어야 한다.

이 지역 사회의 권력자들(50대 이상 남성 문화권)은 지역에 주소지를 두고 있는 것은 맞지만 모두가 그런 것은 아니다. 돈이 많은 이른바 지역 '유지'인 경우도 있지만 이것도 모두가 그러하지는 않다. 상대적일 뿐이다. 모두가 관변단체에 소속되어 있는 것처럼 보이지만 관변단체에 대한 이해도 단순하게 판단할 것은 아니다. 예를 들어 시민단체의 회원이나 활동가들을 한 가지 색깔로 표현할 수 없는 것처럼 이들도 마찬가지이다. 즉, 시민사회의 시스템과 문화가 있고, 관변단체들도 나름의 시스템과 문화가 있다. 어떤 이들은 보수정당을 지지하지만, 또 어떤 이들은 야당을 지지한다. 진보정당에 대해 호의를 가지고 있는 경우도 가끔 있다. 그 자체가 하나의 독립된 세계이다.

50대 이상의 남성들이 어느 날 갑자기 지역 사회의 권력을 주민이나 시민사회로부터 빼앗아 갔을까? 역사적 사실을 살펴보면, 이들이 누구로부터 권력을 빼앗아 간 게 아니라 아무도 없는 무주공산을 먼저 점령했을 뿐임을 증명하고 있다. 따라서 시민사회 세력들이 하는 "우리는 권력을 빼앗겼기 때문에 되찾아야 한다."는 말은 논리적으로 성립이 안 된다. 이게 무슨 말인가? 주민자치위원회를 핵심 내용으로 하는 주민자치제도는 1999년에 시범 사업으로 시작되어 2001년 이후에 전면적으로 확대되었다. 현재는 일부 농촌 지역을 제외하고는 거의 대부분의 읍면동에 구성되어 있다. 주민자치위원회 구성은 해당 지역 주민들이 골고루 참여할 수 있도록 조례에 규정되어 있음에도 불구하고, 실제로는 그러하지 않다. 읍면동장들이나 지역 정치인들이 주도가 되어 위원회를 구성하기 때문에 지역 주민을 대표하는 각계각층이 골고루 참여하고 있지 못하며, 따라서 지역 주민 전체를 대변하지 못하고 있다.

그러면 이른바 지역 유지라고 불리는 일부 주민들만 참여하도록 누군가 장난을 쳤단 말인가? 실제로는 이 주민자치위원회에 참여하고자 하는 시민사회의 세력이 아예 존재하지 않는다. 억지로 참여시키고 싶어도 참여시킬 사람이 없다. 따라서 지역 사회의 권력은 **빼앗긴 게 아니라 스스로가 참여하지 못한 것이다. 상황이 이러하기 때문에 지역 사회를 토호들이 장악하고 있다느니 행정으로부터 시민사회가 배제당하고 있다느니 하는 것은 사실이 아니다. 제도가 바뀌면 사회가 바뀌는 것은 아니다. 단지 바뀔 수 있는 가능성이 커질 뿐이다. 제도를 만들기 이전에 주체 형성이 먼저 이루어져야 한다.

지역 활동가

　　지역 활동에 대한 깨달음은 지역 사회의 일상적 구조에 대한 발견과 맥락을 같이한다. 현대의 대중 정당은 대부분 계몽주의 정당이다. 즉, 자기 당의 강령과 정책을 분명하게 하고 이를 기준으로 당의 색깔을 구분한다. 그리고 선전을 통해 자기 당을 드러내려 한다.

　　현대 사회의 대중은 다종다양하며 단일한 계급적 정체성만으로 자기를 구분하려 하지 않는다. 여성과 성적 정체성, 세대별 구분, 문화적 다양성, 환경과 빈곤에 대한 반응, 약자들의 연대성에 더 관심이 많으며 그러한 코드에 반응한다. 지역 사회에는 이러한 다종다양한 사람들이 함께 거주한다. 대도시 서울의 각 동(洞)에 거주하는 인구는 대략 2만~4만 명 내외에 이른다. 이들이 거주하는 곳을 중심으로 투표소를 배치한다.

여기서 중요한 점은 투표소를 작업장에 배치하지 않는다는 사실이다. 선거는 자신의 직장에 출근하여 투표를 함으로써 이루어지는 게 아니라 자신의 거주지에서 이루어진다. 투표소의 위치는 행정적 편의에 의해 구획되어 있는 통(統)을 중심으로 적절하게 배치된다. 그러나 대부분의 도시민들은 거주지 중심으로 생활하지 않는다. 거주지란 단순히 잠을 자는 공간이며, 이웃과 어울리는 생활의 공간이 아니다. 사람들은 수많은 커뮤니티에 속해 있다. 친인척 관계망, 동문 관계망, 직장 동료 관계망, 종교 관계망 등 다양한 개별 커뮤니티를 가지고 있으나 자신의 거주지를 중심으로 한 커뮤니티를 형성하고 있지는 않다. 따라서 아주 단순하게 이야기하면 투표소의 위치와 자신의 일상적 삶은 연관성이 크지 않다. 이러하니 자신의 일상적 삶의 구조 속에서 형성된 의식이 투표 행위에 있어서는 순간적으로 해체되어 버리고 만다. 지역의 구의원에 대해 별 관심이 없을뿐더러 그들의 정체성을 구분할 수도 없기 때문에 대부분의 투표 행위는 대충 선호하는 정당 쪽을 선택하게 되며, 후보자의 인물 정보가 중요한 요소로 작용하지 않는다.

광역 후보를 선출하는 큰 선거일수록 유목민들의 영향력이 더 커지고, 기초의원을 선출하는 작은 선거일수록 그 지역 토착민의 조직력이 결정적 힘을 발휘한다. 대도시에서는 유목민의 시대가 도래했지만, 지역 사회의 권력은 여전히 토착민(토호가 아니다.)이 장악하고 있다. 사회의 변화를 열망하는 사람들이 보기에는 왜 사회가 변화하지 않을까 하는 질문에 대한 답이 여기에 있다. 지역 사회와 권력 구조에 대한 이해와 관심을 갖지 않고서는 그 해답을 찾을 수 없다. 토착민에 대한 접근을 계몽주의적 방식으로 해서는 곤란하다. 사람은 논리적 설득만으로 쉽게 변하지 않기 때문이다. 이들은 인터넷이나 SNS 등 새로운 미디어로부터 벗어나 있으며 그로부터 큰 영향을 받지도 않는다. 오히려 기존 매체인 신문과 방송, 그리고 직접적 인적 교류로부터 영향을 받는다. 따라서 매체적 접근으로도 관계를 맺을 수 없고, 직접적 인적 교류를 시도하자니 이건 하세월이다.

상황이 이러하기 때문에 지방 선거에서 성공하기란 대단히 힘이 들 수밖에 없다. 선거 때가 되면 나타나는 수많은 후보들을 보면서 진보 정당에서는 "지역에서 코빼기도 내밀지 않다가 선거 때가 되면 나타난다!"라고 주장한다. 그러나 그건 상황을 모르고 하는 소리다. 지역에서 코빼기도 내비치지 않은 사람은 오히려 진보정당 관련자들이다. 이들은 대부분 지역 사회가 어떻게 작동하고 돌아가는지 관심이 없을뿐더러 잘 알지도 못한다. 지역을 바꾸고 싶으면 지역 활동을 해야 하고, 지역에서 정치를 하고 싶으면 지역 활동가가 되어야 한다. 지역 활동을 한다는 사람은 지역 커뮤니티를 촉진하는 사람, 지역에서 발생하는 각종 현안에 관심을 두고 이에 적극 대응하는 사람을 말한다. 그 과정 속에서 수많은 관계망을 형성할 수 있다. 지역 활동가의 휴대전화에는 그 과정 속에서 만나는 사람들의 전화번호가 저장되어 있어야 한다. 당장에라도 연락할 수 있는 사람이 최소한 500명은 되어야 한다. 그러한 노력과 관계망 없이 선거 때가 되면 후보로 나와 지지를 기대한다. 그 과정에서 가장 신경 쓰는 일은 지역 사회와 큰 상관이 없는 공약 개발이다. 기초의원일수록 거대 담론적 공약 따위는 별 소용이 없다. 아주 단순하게 표현하자면 '조직력과 입소문'이 당락을 결정한다.

지역 사회가 활성화되기 위해서는 지역(마을) 일을 하는 사람이 필요하다. 각종 회의를 해야 하고, 누군가에게 연락을 해야 하며, 이런저런 행사가 잘 진행되도록 손을 보는 사람이 있어야 한다. 그렇다면 그 사람은 무얼 먹고 살아야 하나? 즉, 밥벌이를 어떻게 해결하는지가 관건이다. 자기 개인의 일이 아닌 지역의 일을 하는 것은 일종의 공적인 일을 하는 것인데, 그에 대한 정당한 대가를 어떻게든 받아야 하지 않을까?

김성섭

1962년생. 서울시마을기업연합회 대표(전), 우리동네나무그늘협동조합 대표(전). 1995
년 창립한 전국에서 두 번째 공동육아 어린이집인 날으는어린이집의 창립 멤버이다.
날으는어린이집은 첫 번째 어린이집인 우리어린이집과의 묘한 차이를 가지고 있었다.
딱히 표현하기 애매하나 어린이집 내부 운영을 강화하는 게 중요하다는 이른바 '내부
안정화론'의 성향이 강했다. 2001년 초, 마포두레생협을 창립하고 난 뒤에 도토리방
과후의 남성 조합원들이 날으는어린이집 출신들이 만든 풀잎새방과후를 방문한 일이
있었다. 방과후끼리 연대를 강화하고 지역에서 같이 잘 살아보자는 취지였다. 김성섭
은 이러한 취지에 적극적이었다. 2003년 성미산 지키기 운동이 절정에 다다를 무렵
날으는어린이집과 풀잎새방과후 출신 남성 조합원들은 모종의 작당을 한다. 카센터를
협동조합으로 만들어보자는 것이다. 결국 성미산마을 사람들의 적극적인 참여 속에서
성미산차병원협동조합을 설립하였고 김성섭이 조합 이사장을 맡았다. 그러나 안타깝
게도 경영난을 이기지 못하고 2009년 조합을 해산하였다. 2010년 지방 선거에 문치
웅을 주민 후보(구의원후보)로 내세우는 데에 큰 역할을 하였다. 2010년과 2011년 사이
에 있었던 홍대 앞 두리반 철거 반대 운동에 적극적으로 참여하였고, 그 성과를 연결
지어 마포구 염리동 지역에서 우리동네나무그늘 카페를 만드는 일을 주도하였다. 우
리동네나무그늘협동조합은 이 지역에서 소금꽃마을네트워크를 형성하는 데까지 이르
렀다. 성미산마을과는 다른 성격의 마을 네트워크를 만든 것이다.

chapter

6

마을의 성장과
새로운 문제

우리에게는 윤리적 가치를 뛰어넘는 '도시사회학'이 필요하다.
각 지역에서의 활동에 대해 분석하고, 도시 주민을 분석해야 하며,
도시의 공간과 '장소성'에 대해 생각해야 한다.
마을은 정주성을 가지고 있는 사회적 관계망이 아니라,
장소성을 형성하는 근본 동인으로서의 사회적 관계망과
그 세력에 대해 접근해야 한다.

자발적인 일과
전업적인 일

　　그동안 마을의 '일'을 한다는 것은 자발성이 상식이었다. 누가 뭔가를 바라고 하는 게 아니라 재미있을 것 같아서 하거나, 아니면 다소 적극적인 성격의 몇몇 사람이 스스로 알아서 하는 방식이었다. 어느 집단이나 적극적인 사람이 있기 마련이다. 마을의 초기 멤버들은 과도한 진지함과 사회적 가치를 추구하는 데에 있어서 치밀함을 가지고 있었다. 아마도 그렇기 때문에 지극히 사소해 보이는 하나하나의 행동에 있어서 논리적 근거를 만들고, 이리저리 따져보면서 진행했을 수도 있다. 어떤 단체, 조직이든 초기 멤버들은 창업자라는 책임감과 헌신성을 가지고 있기 마련이어서 딱히 설명할 수 없는 자발성을 가지고 있다. 마을의 축제를 준비하는 데 앞장서서 나선다든지, 자신이 가지고 있는 여러 자원을 동원한다든지 하는 것은 이 모든 일을 내가 만들어가고 있다는 자부심과 보람 정도로 설명할 수 있겠다.

실제로 성미산차병원협동조합을 만들게 된 계기는 주민 한 사람이 평소에 자동차 정비 일에 특별한 관심을 가지고 있었고, 자동차 정비학원을 실제로 다니고 있던 와중에 다른 몇 사람과 술자리를 하게 되었고, 술김에 호기롭게 한번 추진해보자고 큰소리를 치게 된 것이었다. 그것도 2003년 성미산 지키기 운동이 한창 진행되던 여름에 일어난 일이었다. 그 술자리 작당에 동참했던 무모한 남성 패거리는 날으는어린이집의 조합원들이었고, 평소의 술자리 친밀성으로 인해 더욱 빠르게 일을 저지르게 되었다. 카센터를 협동조합으로 만들겠다는 일도 몇 사람이 자발적으로 '총대'를 메고 나서부터 가능해졌다. 성미산 지키기 운동을 3년 동안 이끌어왔던 것이나, 그 과정에서 축제를 진행한 것이나, 축제를 계기로 아마추어 연주 동아리(마포스 밴드)를 구성했던 일이나, 모두가 누가 시켜서 하는 일이 아니라 그냥 재미있어서, 동네에서 내가 해야 할 것 같으니까, 일을 진행하는 과정에서 사람들과 서로 어울리는 게 보람이 있으니까 하는 일이었다. 잦은 회의로 피곤하고 육체적으로 힘들어도 상관이 없었다.

2007년에 정부의 지원사업이란 것에 처음으로 도전했다. 2007년 1월에 건설교통부에서 지원하는 '살고 싶은 도시(마을) 만들기' 사업에 신청했다. 이 사업은 시범 사업으로서 당시의 건설교통부로부터 총 1억 원(사후 지급)이 지원되는 것이었다. 더구나 지방자치단체와 함께 추진하도록 되어 있었고, 이때부터 마포구청과 민관 거버넌스를 구축하여 일 추진에 대해 논의하기 시작했다. 2007~2008년은 행정(마포구청)

과 협력 관계가 가장 좋았던 시기였다. 2007년 3월 21일 건설교통부는 '살고 싶은 도시 만들기' 사업의 시범도시에 경기도 안산시, 강원도 속초시, 인천시 남구, 충남 서천군, 광주시 광산구 등 5개 도시를 선정하고, 시범 마을에는 마포 성미산 등 25개를 선정했다. '살고 싶은 도시 만들기' 시범 마을로 선정된 이후 이를 추진할 단위를 꾸려야 했다. 2007년 4월 '성미산마을만들기추진위원회'를 꾸렸고, 사업 집행의 효율성을 위해 그 내부에 집행위원회를 구성했다.

무엇보다 주목할 일은 2007년 하반기부터 마을의 일을 전담하는 '상근 활동가'가 생겨난 것이다. 사단법인 사람과마을을 만들고, 활동비를 지급받는 네 명의 상근자가 매일 사무실에 출근하면서 마을 일을 하기 시작했다. 처음에는 좋았다. 상근자들이 처리하는 마을 일의 업무량이 이전에 비해 비교할 수 없을 정도로 많았고, 규모도 달라졌고, 상상력의 폭도 달라졌다. 무슨 일을 진행하려면 저녁에 단골식당에서 식사를 하면서 시작했던 이야기가 인근 맥주집으로 옮겨가서 늦게까지 이어지고 새벽에서야 끝나곤 했던 풍경이 달라졌다. 이제 회의는 낮 시간에 사무실에서 진행하는 공식 업무였다. 그 이전에는 일을 서로가 조금씩 나누어서 진행했다면 이제는 마을의 상근자가 공식적인 자기 업무로 처리했다. 주민들은 회의에 참석해서 이런저런 의견을 내었고 역할을 조금씩 나누어 가졌지만, 이제는 뭔가 그렇게 하지 않아도 될 것 같았다. 2007년도 거리 축제가 끝나고 나서 축제의 흥분이 이후에도 몇 개월간 지속되었다. 그리고 각종 동아리도 활발하게 움직였다. 마을 상근자들도 열심히 일을 진행하고 동아리 활동을 했지만, 이건 뭔가 느낌이 달랐다. 동아리 활동이 즐기는 것인지 업무의 연장선상인지 헷갈렸다.

특히 사업비가 들어가는 일에는 필수적으로 사무 업무가 따라붙었다. 돈을 쓰는 데 영수증을 첨부해야 하고 서류도 갖추어야 했다. 사업 계획서로 작성된 일을 추진하기 위해서 회의를 소집하고 논의를 하다 보면 내용이 달라질 수도 있는데, 그게 쉽지 않았다. 사업비가 들어가는 일은 사업 변경도 쉽지 않고 하나하나 따져보아야 하는 것으로 바뀌었다. 더구나 사람과마을의 조직 체계가 구성되면서 위계가 만들어지게 되었다. 법인 조직으로서 이사회가 구성되었고, 업무별로 위원회가 구성되었으며 이를 뒷받침할 실무분과가 구성되었다. 상근자들은 실무분과에서 각각의 업무를 하나씩 맡아야 했다. 평소 마을에서는 서로 수평적인 관계로 만나서 대화를 하고 일을 논의했는데 이제는 이사회에서 논의하는 내용의 수위가 있고, 상근자들이 논의하는 수위가 서로 달랐다. 중요한 의사 결정이 이사회나 상임위원회에서 논의되었고 최종적으로 결정하기 직전에 사무실 상근자들에게 전달되는 일이 발생하곤 했다. 갑자기 수평적 관계에서 수직적 관계로 전환되는 느낌이었다.

"이사들이 미리 그림을 그려놓고, 실무자는 일방적, 수동적으로 통보, 동원된다."는 이야기가 공식 논의에서 제기되었다. 이것은 업무로서 반드시 수행해야 하는 강제적인 일이었다. 상황이 이 정도에 이르면 예견되는 게 있다. 어디선가 불만과 짜증이 나타나고, 그 결과로 갈등이 불거진다. 초기의 활기 있고 즐거운 사무실 분위기가 어느 때부터인가 착 가라앉았다는 걸 느끼기 시작했다. 그리고 누가 그만두 겠다고 했다는 둥, 또 누구는 새벽까지 술을 마시면서 펑펑 울었다는 둥 이런저런 말이 들리기도 했다. 이것은 2008년도 사람과마을의 일 반적인 풍경이었다. 이런 일이 깊어지면 어찌 되었든 공식적으로 문제 를 해결하고 싶어 한다.

그래서 2008년 3월 사람과마을 '활동가 워크숍'이 1박 2일로 진 행되었다. 핵심적인 논의 내용은 마을에서의 사람과마을이 갖는 조 직 위상과 내부의 조직 문화에 대한 것이었다. 문제의 핵심에 대해 접 근하지 못하면 곁가지 논의가 무성하기 마련이다. 새벽까지 이어지는 회의와 술자리를 했음에도 아침에 헤어질 때는 뭔가 풀리지 않은 느 낌이 여전했다.

처음에 사람과마을을 만들 때는 회원 조직으로 만들지도 않았 고, 더구나 마을에서 익숙한 협동조합 방식으로도 운영하지 않았다. 단지 마을에 있는 이러저러한 커뮤니티(단체와 기관, 마을기업과 동아리들) 사 이에 네트워크를 강화하는 것을 목표로 두고 실무자 체계를 갖추었 다. 그러나 사람과마을에서 다루는 공식적 사업의 영역은 그야말로 마을 전반을 아우르는 것이었다. 이러한 성격 때문에 마치 성미산마 을의 대표적인 중앙기구처럼 보이게 했다. 즉, 처음에 사람과마을의 조직 위상을 설정했을 때는 주민 조직화 사업을 직접 수행하지 않는 것으로 했고, 단지 네트워킹과 코디네이팅 기능만을 담당하는 것으로 했다. 그러나 실제로는 사람과마을로 마을의 일이 집중되는 현상이 발생했고, 그 결과 마을 주민들이 마을 일에 자발적으로 참여하는 동력이 현저히 약화되는 결과로 나타났다. 축제를 준비하는 것이나, 성미산 대책과 관련된 사안이 그러했다.

　사람과마을은 마을을 대표하거나 대의하는 기관이 아니라고 주장했으나 실제로는 마을을 대표하는 단체로 귀결되었다. 대표는 아니라고 여겼으나 실행을 해야 하는, 마을 이장은 아니나 업무를 보아야 하는 식이다. 마을 내의 여러 개별 커뮤니티에서는 이전과 같이 즐겁게 지내고는 있으나 마을 전체 문제를 감당하고 처리하는 문제는 그렇지 않았다. 일상의 마을 생활은 즐거우나 공적 영역(마을 일)으로 가면 즐겁지 않고 긴장감과 의무감이 발생했다. 사람과마을에서 처리하는 일이 많고, 복잡하며, 판단의 논리적 맥락이 간단하지 않아서 일반 주민들이 사람과마을에서 하는 일을 잘 알 수가 없었고, 접근 통로도 없었다.

　두 번째로 사람과마을의 조직 문화에 대해서 집중적으로 문제가 제기되었다. 그 과정을 굳이 세세하게 설명하지 않더라도 핵심은 명확하다. 수평적인 마을 관계망에서 수직적인 조직 문화 사이에 매우 낯설고 결코 용납할 수 없는 간극이었다. 이건 조직 내 민주주의 문제로 해결될 일이 아니다. 마을의 고참 세대가 사람과마을의 의사 결정 단위에 자리 잡았으면서도 일을 추진하는 방식은 여전히 과거의 습성대로 진행하여 발생하는 문제였다. 즉, 과거에는 몇 사람이 술자리에서 싹뚝깍뚝 떠들어대면서 의견을 모아 나갔고, 그렇게 모은 의견을 가지고 다시 몇 사람에게 설명하거나 설득하는 과정에서 꼬물꼬물 일을 만들어갔다.

그런데 사람과마을의 공식적 의사 결정 기구인 이사회에서 과거의 방식대로 의견을 모아 나가면서 뭔가를 결정한 것이 문제가 된 것이다. 이사회의 결정 사항은 정관에서 규정된 바 조직의 최고 의사 결정 기구에서 결정한 사항이기 때문에 조직 내부의 법률적 효과를 갖게 된다. 이렇게 결정된 의견은 조직 전체가 실행해야 하는 성격으로 전환한다. 그 실행은 누가 하느냐, 바로 상근자가 담당하게 된다. 왜냐하면 상근자는 급여를 받기 때문이다. 과거에 마을에서는 이러한 상근자가 없었기 때문에 무슨 일을 추진하려면 그 일을 실행할 사람들을 하나하나 모아가야 했다. 사람들을 모으려면 친절하게 설명해야 하고, 때론 반대 의견에 부딪쳐서 논쟁도 해야 하는 아주 조심스런 설득 과정이 있어야 했다. 의견을 결정하는 일, 결정된 의견을 실행하는 일은 이처럼 주어진 상황을 고려하면서 매우 조심스럽게 조정해야 한다.

이후 여러 차례 추가 논의를 통해 2008년 하반기에 다음과 같이 정리되었다. ① 이사회는 '자문위원회' 정도로 그 역할을 축소한다. ② 운영위원회로 단순화하여 집중한다. ③ '어떤 종류의 마을 일을 하고 싶은 사람'의 제안으로 프로젝트팀을 구성하며, 이 프로젝트 팀장은 반드시 운영위원회에 참가한다.

이렇게 정리된 원칙에 따라 2009년 1월에 전면적인 조직 개편을 단행했으며 이 체계는 현재까지 유지되고 있다.

공공성으로서의 마을 일

2009년도에 조직 내부 민주주의 문제로 인해, 사람과마을의 체계를 바꾸고 담당하는 사람도 모두 바꾸었다. 정부가 바뀌고 난 뒤 국토해양부의 살고 싶은 마을 만들기 지원사업이 더 이상 지속되지 않았고, 사람과마을의 사업비도 따로 조성되지 않았다. 그럼에도 '일'은 있었다. 마을의 큰 문제에 대해서는 어디선가 누군가가 공식적으로 떠맡아야 했기 때문이다. 2008년부터 성미산을 개발하겠다는 문제가 또다시 불거졌다. 이번에 문제 유발자는 홍익재단이었다. 성미산의 중심부는 시유지(市有地)였으나 그 주변부로 사유지가 있었다. 그중에서 성미산 남사면(南斜面) 일부에 홍익재단 소유의 땅이 2만 평 정도가 있었고, 이곳으로 홍익대 부설 초·중·고등학교를 이전하겠다고 했다. 그렇게 되면 성미산을 깎아내야 하고, 그만큼 산이 훼손될 수밖에 없다. 또다시 힘들고 지루한 싸움이 예고되었다. 이 문제에 대해서 사람과마을이 전면에 나서야 했다.[48]

또한 성미산마을에 대한 대외적인 노출이 심해지면서 다른 지역 사람들의 방문이 부쩍 늘어났다. 결국 '성미산마을 안내팀'[49]을 별도로 구성해야 했다. 2009년 이전까지는 연인원 100~200명 수준이었던 탐방객들이 2009년부터는 1,000명을 훌쩍 넘어서기 시작했다.[50] 마을을 남들에게 논리적으로 설명해야 했다. 외부 손님들을 안내하고 설명하는 일을 하는 사람은 대외적으로 마을 대표자 역할을 맡게 된다. 사람과마을이 그 역할을 수행해야 했다. 신문과 방송사에서 이런저런 취재 요청이 있었다. 사람과마을이 모두 응대를 해야 했다. 연구 인터뷰와 각종 사업 제안들이 쏟아져 들어왔다. 마을 내부에서는 사람과마을을 대표 단체로 결정한 바가 없음에도 이제는 대외적으로는 마을을 대표하는 역할을 떠맡게 되었다.

2010년 6월 지방 선거에 구의원 후보를 내세운 이후에 성미산마을은 그 이전과 판이하게 달라졌다. 마을 내부의 결집력은 제2차 성미산 지키기 운동 때문에 매우 드높아져 있었으나, 외부에서 바라보고 기대하는 정도의 수준은 아니었다. 성미산 지키기 운동 과정에서 마을에 대한 과잉 홍보가 있었고, 그 결과 마을은 외부에 과잉 노출되었다. 성미산마을은 한국 사회의 일종의 대안으로 부각되기 시작했고, 거의 전설이 되어갔다. '성미산마을'이라는 브랜드가 형성될 만큼 상징성이 부여되었으나, 마을 내부가 그것을 감당할 수준은 아니었다. 또한 마을은 일종의 소우주였다. 거의 모든 것이 만들어졌고 실험되었다. 공동주택을 실제로 만들었다. 어린이집과 대안학교, 생협과 극장, 카페와 식당, 술집, 책방, 되살림가게, 마을기업들, 각종 동아리들…. 이것은 도시 공동체의 살아 있는 교과서라 할 만한 수준이다. 사람들은 성미산마을을 벗어나지 않아도 충분했다. 마을은 그 자체로 생활과 생존의 생태계를 만들었으며, 지역 사회와의 교류와 관계 개선을 위해 크게 노력하거나, 행정기관에 아쉬운 소리를 할 필요도 없었다. 특히 일반 주민들과의 문화적 간극은 더욱 커졌다. 마을 사람들 사이의 관계는 수평적이고 양성 평등적이며, 의사소통을 중시한다. 길고양이를 비롯해서 동물을 사랑하는 문화가 일반적이었고, 세월호 캠페인[51]을 끈질기게 진행하고, 이를 마을의 일상적 문화로 표현하고 있었다. 수직 위계적이며, 남성 중심적이며, 권위주의적인 문화권과의 접촉의 폭이 확대되지 않는 이유는 그것이 굉장히 불편하기 때문이다. 그 불편함을 감당하면서 지역 사회로의 관계의 폭을 넓힐 만한 절실한 이유가 아직은 없었다. 크게 보면 이 지점이 딜레마이다. 행정에서 추진하는 마을 공동체 정책의 주요한 목표는 주민들이 여러 커뮤니티 활동에 적극 참여하고, 그들이 서로 연결되어 결국 지역 의제를 생산하거나 해결하는 주체로서 등장하기를 원한다. 성미산마을은 독자적인 마을을 이루었고, 지역 의제보다는 보편적 의제에 관심을 가지고 있었다. 그러나 지역 차원에서의 권력적 영향력을 행사하기에는 크게 부족하다.

마을 일은 마을 전체와 관련된 공공적인 성격을 가지고 있다. 공공적인 일은 그것을 처리하는 별도의 자원이 형성되어야 한다. 국가에서는 이를 행정 시스템으로 처리하고 있고 그 비용을 세금으로 충당한다. 그러나 마을에서는 독자적인 시스템을 구축할 만한 수준의 자원 동원력을 가지고 있지 않다. 그러나 '일'은 있으며, 그 '일'은 누군가가 처리해야 한다. 문제는 그 사람에게 충분한 급여를 지급할 수 없다는 점이다. 이 점에 대해서 적극적인 모색이 있어야 한다. 왜냐하면 그동안 비공식적이었던 마을 일이 공식적인 마을의 업무로 전환되는 순간 이에 대한 매우 적극적인 해석과 논의가 있어야 하기 때문이다. 규모가 달라지면 관계의 문화도 달라져야 한다.

마을 공동체 만들기를 행정에서 진행한다?

2011년 10월 26일 서울시장 재보궐선거가 치러졌다. 박원순 시장의 당선으로 인해 서울시 차원에서 마을 공동체 사업이 본격 가동되기 시작했다. 『한겨레신문』에 "박원순 '제2성미산' 15곳 만든다"라는 제목의 기사가 게재되었다.[52] 서울시에서 마을 공동체 사업을 추진한다는 것인데, 그 사례를 성미산마을로 든 것이다. 그 직후 몇 개월 동안 성미산마을로 서울시 각 실국 공무원들의 방문이 그야말로 폭주했다. 고민이 생겼다. '마을'에 대해 쉽게 이해할 수 있도록 설명을 잘 해야 했다. 그런데 마을의 개념은 도대체 무엇일까? 마을을 어떻게 설명해야 하나? "골목에서 이웃과 반갑게 인사를 하고, 저녁에는 마실도 다니고, 서로 어려울 때 도와주기도 해요." 이러한 설명은 틀린 것도 맞는 것도 아니다. 하지만 이건 제대로 된 설명이 아니다. 인구

1,000만 명의 서울인데 골목길에서 얼굴을 아는 사람을 마주치기가 어디 흔한 일인가? 마실을 동네에 사는 아무 집에나 다니는가? 어려울 때 서로 도와주는 게 아무에게나 그러한가?

첫 번째 난관에 봉착했다. 도시에서의 마을의 개념은 무엇인가였다. 이러한 헷갈림은 유창복의 책 에서도 드러난다. 이른바 '도시형 마을'에 대해 개념어로 설명을 하지 못한다. 2010년 어느 날 삽화가 한 사람이 마을 한복판에서 때마침 지나가던 유창복에게 성미산마을이 어디인지를 물었다. 이에 유창복은 성미산마을은 이러저러한 곳이라고 몇 마디 말로 설명하는 대신 아예 마을 투어를 진행했다. 즉, 마을을 설명하기 위해서 성미산마을 투어를 진행하고 난 뒤에 '이게 성미산마을이에요.'라고 끝맺었다. 당시에는 그랬다. 수없이 같은 질문을 받았고, 그때마다 주저리주저리 마을을 그야말로 '나열'했다. 주요한 기관(어린이집과 학교), 극장과 마을기업(생협과 비누두레, 동네부엌 등)을 보여주고 개요와 스토리를 설명했다. 그러고 나면 설명을 듣는 사람이 '아, 마을이란 게 이런 거였군요!'라고 처음에 생각했던 거와 다르다는 느낌을 표현하면서 끝이 난다. 심지어 농촌의 마을과 도시의 마을을 구분하지 못했다. 어떤 이는 전원주택 단지로 생각하는 경우도 있었고, 심지어 스머프 마을이 아닐까 하고 생각했다는 사람도 직접 만난 적이 있다. 이 개념의 문제는 서울시에서 마을 공동체 정책을 시행하고자 했을 때 매우 중요한 지점이었다.

두 번째는 자생적으로 만들어진 성미산마을에 비해 서울시 정책으로 전환되는 순간 마을 만들기가 가능해야 했다. 그러려면 참조

가능한 모델이 있어야 하는데, 이 지점에 대한 해석도 쉽지 않은 문제였다. 공동육아 어린이집과 방과후교실 → 생협 창립 → 마을기업의 성립 → 마을 축제 확대 등의 순차적 모습을 보였던 성미산마을의 성립 역사를 그대로 모델화하기에는 무리이다. 성미산마을 이외에 이와 유사한 모습은 강북구에 있는 삼각산재미난마을 정도가 있으며, 은평구의 산새마을이나 성북구의 장수마을은 전혀 다른 맥락에서 설명해야 한다. 그렇다면 마을 만들기의 전략을 어떻게 짜야 하는가? 사실 마을에 대한 개념과 추진 전략이라는 두 가지 논의는 현재에도 계속 강화되어야 할 항목이다. 더구나 마을이 한국 사회에서만 나타나는 특이한 현상도 아니고 전 세계적인 보편적 현상이라면 다른 나라의 사례도 살펴야 한다. "제2성미산 15곳 만든다"는 기사의 제목은 서울시가 아니라 신문사에서 작성한 것으로 밝혀졌지만, 서울시 정책의 명확성에 대해서는 여전히 갈 길이 멀었다.

성미산마을에서는 2012년도 서울시에서 마을 공동체 정책을 본격적으로 시행하기 이전에 독자적으로 '옆 동네 마을 만들기 지원'의 필요성을 느끼기 시작했다. 2011년 초부터 사람과마을에서는 '옆 동네 마을 만들기 지원'을 주요한 키워드로 잡았다. 2010년 6월 지방 선거에 주민 후보를 내세웠던 시도가 실패로 돌아가면서 지역 사회에 대한 이해와 관계를 강화해야 한다는 절박한 필요성에서 비롯되었다. 또한 마을 내부적으로 볼 때 마을이 양적으로 너무 커져버렸다. 내부에 익명성이 발생한 것이다. 그로 인해 예전의 아기자기한 모습들, 무슨 일을 하든 서로의 품을 내서 일을 만들어갔던 경험이 이제는 점차 낯설어졌던 것이다. 마을의 경계에 대한 테두리가 명확할 수 없는 네트워크라는 성격 때문에 지리적 범주를 구획할 수도 없고, 자꾸 비대해져 가는 마을 구성원들 사이의 관계의 긴밀성도 이제는 과거와 달라졌다. 그래서 생각한 아이디어가 마을의 규모가 더 이상 커지지 않도록 분화시키자는 것이었다. 옆 동네 마을 만들기 지원을 통해 인근 망원동, 연남동, 성산2동으로 동 단위 마을을 확산하자는 것이다. 동 단위로 마을이 형성될 수 있도록 측면에서 지원한다는 것이 가능할까? 생각이 복잡해질 수밖에 없었다. 또다시 마을은 무엇이고, 동 단위별로 독자적 성격을 갖는다는 것은 무엇일까 하는 질문에 직면했다. 그래서 생각했던 게 '마을은 네트워크'라는 명제였다. 이 네트워크는 지역에 있는 자원들이 연결되는 형태로 드러날 것이고, 그 형태는 지역의 특성에 따라 모두 다를 것이다. 그렇다면 이러한 지역의 특성을 연구하고 논의할 논의 그룹, 연구 그룹이 필요하지 않을까? 그것을 '동네연구소'로 확장하면 어떨까? 생각은 이렇게 논리적 확장성을 가졌으나 이를 구현하기는 쉽지 않았다. 왜냐하면 성미산마을이 이런 구상을 독자적으로 구현할 자원이 충분하지 않았다. 그 일을 누가 한단 말인가? 마을 활동은 그냥 하는 일인가? 그동안 뭘 먹고살고?

어쨌든 옆 동네 마을 만들기 지원 활동은 속도를 내서 할 일은 아니었고, 장기적 안목을 가지고 추진해야 했다. 그러한 와중에 2011년 말부터 서울시에서 마을 공동체 정책을 본격적으로 준비하기 시작했다. 그렇다면 차라리 행정의 지원을 받으면서 움직이는 게 효과가 있지 않을까? 생각은 여기에 도달했다.

2011년 10월 26일 박원순 시장이 당선된 후, 11월 3일자 신문 기사가 나오면서 마을 내부에서 본격적인 논의가 진행되었다. 더구나 이 문제는 성미산마을이 감당할 수준의 것이 아니기 때문에 서울시의 각 지역에서 활동하는 지역 활동가들 사이에 논의가 일어나야 했다. 2011년 11월에 서울 지역의 '마을 공동체 풀뿌리 활동가 TFT'를 구성했고, 이어서 두 차례에 걸쳐 '풀뿌리 활동가 집담회'를 개최했다. 각 자치구에서 활동하는 풀뿌리 활동가들 사이의 논의는 예상과 달리 비교적 활발하게 진행되었다.

　　결국 "도시에서의 마을에 대한 아주 간단한 규정은 '관계망의 긴밀성' 정도로 삼을 수 있겠다. 즉, 서로가 서로를 기억하고 있는 관계망의 정도와 그러한 관계를 맺는 이유일 것이다." 라고 개념을 정리했다. 이렇게 되면 마을의 규모는 주민들 관계망의 범위가 될 것이고, "커뮤니티를 넘어선 네트워크(Network)라고 할 수 있다. 네트워크는 그 끝과 경계를 알 수 없다. 무한정 확장하면 전 지구적일 수도 있다." 따라서 동네에서 독자적인 의사 결정 단위를 형성하는 단계에 이르면 그곳에 '마을'이라 이름 붙여도 된다. 이렇듯 마을의 개념은 마을 활동의 확장 과정에서 발생하는 구체적인 과제와 이에 대한 해석과 연관되어서 점차 구체화되었다. 마포 지역에서는 2014년 서울시에서 지원하는 중간 지원 조직인 '마포구 마을생태계 조성사업단(약칭 마포자생단, 별칭 다정한사무소)'을 본격 운영하기 시작했다.

키워드 인물

서울시 마을 공동체 정책과 마포 지역 활동

서울시에서는 2013년부터 자치구 마을 공동체 활동을 지원하는 중간 지원 조직을 모집하기 시작했다. 마포구에서는 이를 떠맡아 진행할 만한 사람이나 단체가 뚜렷하게 나타나질 않았다. 성미산마을의 주요한 활동가들이 나서면 적절하겠으나, 당시에는 중간 지원 조직인 '마을생태계 조성사업단'을 떠맡을 생각이 별로 없었다. 마을은 필요에 따라서 당사자들이 그냥 진행하면 되는 거라고 여겼기 때문이다. 그러나 서울시 정책이 각 자치구에 권장되었고, 더구나 '인센티브 사업'으로 규정되었다. 공무원들이 '인센티브'를 그렇게 민감하게 여기는 줄 당시에는 잘 알지 못했고, 조례가 제정되면 예산을 배정하고, 그것을 수행할 부서와 인력을 배치하게 되면 매우 중요한 필수 사업이 되는 줄 알지 못했다. 그동안 동네에서만 죽 생활한 탓에 행정의 문화와 시스템이 어떻게 운영되는지에 대한 이해도가 매우 낮았다.

2014년 3월부터 '마포구 마을생태계 조성사업단(마포자생단)'을 '마포마을네트워크(대표자 송덕호)'에서 수탁을 받았고 운영 책임자로 위성남이 그 역할을 떠맡았다. 성미산마을을 넘어서서 마포 지역에서 마을 공동체를 활성화하고자 하는 데에는 나름의 전략이 필요했다. 그러기 위해서는 마을 공동체의 개념을 어떻게 규정하느냐가 필수적이었다. 도시에서의 마을은 농촌 마을과 달리 사람들 사이의 네트워크 성격이기 때문에 그에 맞는 활동을 기획해야 했다. 네트워크를 활성화시켜야 하고, 그것도 즐겁게 진행해야 한다는 취지에서 '네트워크 파티'의 개념을 만들어냈다. 즉, 각종 모임의 대부분은 회의의 형태를 띠게 되는데, 시민단체가 진행하는 목적의식적 활동이 아닌 마을 모임이니 그냥 동네에서 사람들끼리 즐겁게 진행하자는 성격에 맞추어야 한다는 생각이었다. 그것은 '파티'가 되어야 했다. 그러나 그냥 파티를 하자고 하면 놀고먹는 것으로 오해를 살 수 있으므로 네트워크를 위한 파티라는 의미로 '네트워크 파티'라고 명명했다. 생각은 이러했으나 실제로 한국 사회에서 파티는 대단히 낯선 개념과 문화이다. 회의라는 방식이 아닌 교류의 형태로 '회식' 문화가 있다. '회식'은 저녁 시간에 식당에서 밥과 술을 먹는 문화 양식이다. 일렬로 늘어선 긴 테이블에 앉아서 삼겹살을 구우면서 '위하여!'를 가끔 반복하며 앞사람이나 옆사람과 대화를 하는 방식이다. 이것은 필연적으로 끼리끼리 대화를 진행할 수밖에 없게 된다. 이러한 회식 문화를 대체하는 방식으로 낮 시간대에, 되도록 테이블 좌석에서 벗어나, 특정한 주제를 가진 모임을 자연스럽게 진행하는 것을 모색해보고자 했다.

2014년 5월 말에 마포자생단 사무실 개소식을 이렇게 파티로 기획했다. 이때 이후 '네트워크 파티'가 마을 공동체 활동 과정에서 하나의 독특한 문화로 자리 잡게 되었다. 2014년도에 있었던 두 번째로 특징적인 활동은 이른바 '원천징수' 처리 안내에 관한 문제 제기였다. 보조금 지출 과정에서 강사비를 지급하는 교육 사업이 진행될 수도 있는데, 이때 25만 원이 초과되면 중간 지원 조직에서는 세무서에 원천징수를 해야 했다. 서울시에서 마련한 보조금 지출 방식 안내서에 따라서 '원천징수'로 처리하려 했으나, 문제가 발생했다. 서울시 안내서가 잘못된 것이다. 당시 마포자생단 사무국장이었던 전경하(오리)는 무려 1개월 동안 씨름을 벌인 끝에 이 문제를 겨우 해결했다. 사실 '원천징수'로 처리하는 문제는 지극히 사소한 내용이다. 그러나 마포자생단에서 이 문제를 주요하게 여겼던 것은 서울시나 자치구에서 보조금을 지원받아 마을 공동체 활동을 진행하는 '마을 사업지기'들에게는 나름 중요했기 때문이다.

이 문제는 결국 서울시 차원에서 안내 매뉴얼을 다시 제작하게 하였다. 세 번째로 진행했던 사업은 「마포동네소식」이라는 마을 신문을 제작·배포한 일이었다. 마포 지역에서 활동하는 마을과 사회적 경제 분야의 여러 단체나 기업, 기관들이 진행하는 각종 행사와 교육 등의 정보를 신문 형태로 제작하여 배포하는 것이다. 일상의 정보를 연결하면 뭔가가 새로운 단위의 연결망이 형성되리라 여겼다. 각 1만 부를 제작하여 모두 네 차례에 걸쳐 지역에 배포하였다. 그러나 제작 비용을 지속적으로 충당하지 못하였고, 오프라인 신문 형태의 효용성에 의문을 가진 채 중단하였다. 이러한 여러 가지 실험은 모두 '마을은 네트워크'라는 생각에 바탕을 두고 진행한 것이었다.

2015년에 들어서는 네트워크 강화를 위해 '네트워크 파티'만으로 그 효과를 보기가 쉽지 않기 때문에 '공론장'을 운영해야 한다고 여겼다. 더구나 그 대상도 서울시 및 마포구에서 지원하는 마을 공동체 보조금 지원 사업 수행자들인 마을 사업지기에만 주목해서는 한계가 있다고 보았다. 네트워크에 참여하는 대상이 마을 사업지기에 한정되지 않고 지역의 민간 활동 전체로 확장되기 위해서는 좀 더 확장된 이슈에 초점을 맞추어야 했다. 그래서 지역의 주요 이슈에 대해 주목하기 시작했다. 때마침 홍대 앞의 젠트리피케이션 현상이 부각되기 시작했고, 성미산마을의 사랑방 역할을 하고 있는 작은나무 카페가 건물주의 변경으로 내쫓길 위기에 처했다. 이는 홍대 앞이라는 주요한 상권에서 발생한 젠트리피케이션 현상이 마을 공동체가 활성화된 성미산마을에도 동일하게 나타난다는 점을 확인한 것이다.

2015년 3월부터 '마포 지역 포럼'을 개최했다. 특히 2015년 4월 말에는 작은나무 카페 현장에서 포럼을 개최했다. 이와 관련한 기사가 『경향신문』에 게재되었다.   이 포럼과 기사가 나간 이후 마을 공동체 분야에서 젠트리피케이션은 전국적으로 주요한 이슈로 부각되었다. 이후에도 여러 차례 동일한 주제를 다양한 시각에서 살펴보는 포럼을 개최하였고 그렇게 형성된 공론을 모아, 11월에는 '마포 로컬리스트 컨퍼런스'라는 이름으로 지역 활동가들이 진행하는 대규모 공론장으로까지 확장했다. 서울시는 2015년 11월 23일에 '젠트리피케이션 종합대책'을 발표하였다.[57] 지역 활동 과정에서 제기한 이슈를 광역 지자체의 정책으로 이끌어냈던 것이다.

2016년에 들어서 서울시에서는 마을 공동체 사업에 대한 자치구 차원의 인센티브 제도를 폐지하였다. 그러자 구청 공무원들의 분위기가 싹 변했다. 마을 공동체 사업에 대한 자치구 차원의 관심도가 낮아지고 적극성도 떨어졌다. 그러한 데에는 이유가 있었다. 사실 처음부터 마포구청은 성미산마을이나 마을 공동체 따위에 관심이 없거나 심지어 적대적이기까지 했다. 구청에서 성미산마을을 언급할 때는 언제나 '일부 시민단체'라는 수식어를 동반했고, 일부 동(洞)의 주민자치위원회는 노골적인 반감을 드러내기도 했다. 심지어 『월간조선』에서는 성미산마을에 '좌파 양성소'라는 프레임을 덧씌우기도 했다.[58]

구청의 태도는 박홍섭 구청장과 성미산마을과의 악연에서 비롯되었을 것이다. 성미산 지키기 운동이 한창이었던 2003년에는 당시 한나라당 소속으로 구청장을 했었고, 두 번째로 싸움을 시작했던 2010년에는 민주당 소속으로 구청장을 했었다. 반면 2007~2008년 당시 신영섭 구청장(한나라당)과는 가장 관계가 좋았던 시기였다. 이러한 불편한 관계를 극복하기 위한 근본적 해결 방안은 민간 단위의 힘을 강화하는 것이었다. 구체적으로는 '동 단위 주민 네트워크'를 형성하는 것을 모색하기 시작했다. 성미산마을이 과도하게 확장되는 것을 분산시킬 필요도 있었고, 2011년에 시도했던 '옆 동네 마을 만들기 지원'을 좀 더 체계화하고자 했다. 그러기 위해 행정동 단위별로 마을 자원을 확인하고, 네트워크 파티를 개최하고, 동네별 행사를 지원하겠다고 계획을 세웠다. 이에 필요한 재원을 확보하기 위해 마포구 마을생태계 조성사업단의 2016년도 활동 계획의 핵심 내용을 '지역 자원 연계 발전'으로 설정하였다.

이에 대해서는 여러 가지 평가가 있고, 아직 정확한 판단을 내리기에는 경험치가 충분하지 못하다. 부족하나마 2015~2016년의 '동 단위 네트워크' 형성 시도에 대한 생각은 이러하다. 일단 행정동 단위별로 '주민'들이 쉽게 엮이지 않더라는 것이다. 더구나 '주민'에 대한 판단을 사회학적으로 더 엄밀하게 할 필요가 있었다. 그저 단순히 '특정 지역에 거주하는 정주민'의 성격이 아니더라는 것이다. 이 지점은 대단히 중요하다고 보는데, 마을 공동체 활동의 핵심 대상으로 보는 '주민'에 대한 이해가 무척 부족했다. 특히 거대 도시 서울에서는 '도시성'에 대한 분석과 이해가 있어야 하고, 각 지역별 거주민의 차이와 성격에 대한 연구가 거의 전무하다는 판단을 하게 되었다. '동 단위 네트워크' 형성 전략과 실행은 결국 '도시성'에 대한 연구의 필요성을 확인하는 결론에 도달했다.

다른 측면으로, 2016년에는 '로컬리스트 컨퍼런스'의 주제로 '마포에서 생활할 권리'를 제안했다. 이 주제는 2015년에 제기한 '지역 활동과 젠트리피케이션 현상'을 집중하면서, 2016년에는 어떻게 변화하는지를 주목하는 과정에서 설정하게 되었다. 젠트리피케이션은 수많은 사람들을 내몰고 있었다. 내몰림, 쫓겨남, 배제됨이라는 현상은 이제 보편적인 것이 되었다. 청년들은 높은 임대료 때문에 주변으로 밀

려나고, 아현동의 포장마차촌을 형성하고 있었던 '이모들'은 인근 아파트 주민들의 지속적인 민원 때문에 폭력적으로 내쫓겼으며, 홍대 앞의 문화예술인들의 공간은 눈에 띄게 줄어들고 있었다. 특정 지역에서 생활하고자 하는 것을 일종의 헌법적 권리로서 확인하고 싶었다. 그러나 아직도 민간 활동은 힘이 부족했고, 그것을 강화하기 위해서는 민간 활동 분야를 망라하는 '포괄적 네트워크'를 형성할 필요를 느꼈다.

2017년에는 서울시 마을 공동체 정책에 있어 커다란 변화가 발생했다. 서울시에서는 자치와 분권의 확대라는 대원칙을 가지고 직접 시행하던 여러 정책을 자치구로 대폭 이관하였다. 그중의 하나가 마을 공동체 정책이었다. 서울시에서 책정한 예산을 각 자치구로 넘겨서 이제부터 자치구 주도로 마을 공동체 정책을 시행할 수 있도록 대부분의 권한을 이양한 것이다. 이러한 맥락에 따라서 마포구에서는 마포구만의 독자적인 정책을 시행하고자 했다. 이른바 '마포형 협치'라는 틀을 세우고 행정과 협치의 파트너인 주민 그룹을 직접 선발하고 교육하겠다는 구체적인 계획을 세웠다. 그러나 여기에서 문제가 발생했다. 협치란 민간과 행정이 동등한 입장에서 정책과 의제에 대해서 상호 협의를 해야 하는 것인데, 민간 그룹을 행정에서 직접 선발하고 관리한다는 것이다.

이것은 애초에 협치의 개념과 맞지 않는다. 출발 지점에서 행정과 민간은 힘의 균형이 동등하지가 않았다. 힘의 균형추가 행정 편으로 크게 기울어져 있는 게 현실이다. 한국 사회에서 행정력의 힘은 막

강한 예산과 공무원 인력, 각종 법과 제도의 뒷받침을 받고 있다. 반대로 민간은 분산되어 있고 협치의 경험이 없으며 의제를 독자적으로 해결할 여력이 없는 상태이다. 행정의 각종 정책에 대해서 독립적인 의견을 가지는 것은 일종의 불온한 세력 내지는 바람직하지 못한 흐름으로 인식하는 경향이 강하다. 행정에서도 칸막이가 존재하지만 민간에서도 칸막이가 존재하고 있다.

이러한 조건 속에서 온전한 협치가 이루어지려면 행정 내부의 준비와 민간 세력의 성장을 기다릴 수밖에 없다. 2017년 초부터 마포구청은 서울시에서 이관받은 마을 공동체 사업을 '마포형 협치'라는 틀 속에서 시행하고자 했고, 기존의 마을 공동체 활동을 진행하고 있었던 마포자생단의 실체를 인정하고 싶어 하지 않았다. 행정의 의도와 성격에 맞는 새로운 사업단을 선발하고자 한 것이다. 그리하여 2014년부터 2016년까지 마포 지역에서 마을 공동체 사업을 지원하고 촉진하였던 마포자생단을 배제했다.

애초에 서울시에서 설계했던 마을 공동체 정책의 주요 초점은 '주민의 등장과 성장'이 핵심이었다. 그것은 주민이 지역의 공공 의제에 관심을 가지고 참여하면서 스스로 의사 결정의 주체로까지 발돋움하기를 바랐다. 그러나 마포구의 관심은 달랐다. 당장에 기존의 관변단체 중심으로 존재하는 주민 관계망을 주요하게 여겼다. 2017년 3월부터 마포구청은 '우리동네 주민활동가'라는 이름의 주민 조직을 마포구 16개 동에서 대대적으로 공개 모집하기 시작했다. 그 결과 250여 명의 주민을 모집했고, 2017년 6월부터 몇 차례의 교육을 진행하고,

이후 동네 의제를 발굴하고 논의하는 기본 단위로 설정하고자 했다.

이렇듯 구청의 일방적인 정책 시행이 가능한 이유는 행정 조직의 성격에서 비롯된다. 자치단체장을 핵으로 하는 수직 위계적 의사 결정 구조와 문화는 '국가공무원 복무규정'에 보장되어 있다.[59] 자치단체장의 지시는 해당 실무부서에서 직접 실행하여야 하는 것이다. 이에 대한 감시와 비판은 구의회에 권한이 있으며, 또한 지역의 시민단체에서 진행하기도 한다. 만약 구의회와 시민단체에서 별다른 반응을 보여주지 않으면 구청은 외부의 비판 없이 모든 정책을 시행하게 된다. 실제로도 최종 의사 결정은 자치단체장의 권한이 거의 절대적이라고 할 수 있으며, 구의회의 실질적 권한이 그렇게 크지 않다. 마을 공동체 정책의 핵심인 '주민의 등장과 성장'에 대한 키워드는 기존의 직능단체 중심의 네트워크에 관심사가 밀릴 수밖에 없었다. 자치단체장이 강력한 혁신의 의지를 가지고 있지 않으면, 마을 공동체 정책은 현실성 없는, 다분히 낭만적인 것으로 여기는 것 같다. 이것은 새로운 위기이자 지역 시민사회가 직면한 도전이다.

따라서 민간의 독자적인 힘을 강화하기 위해서는 지역 사회 전체에서 진행하고 있는 다양한 민간 활동 분야를 망라한 '포괄적인 네트워크'가 형성되어야 할 필요를 또다시 확인하였다. 민간 분야의 이러한 과제는 2016년 12월부터 활동을 시작한 '마포시민협력플랫폼'에서 담당하였다. 시민협력플랫폼은 일종의 중간 지원 조직의 성격을 가진 사업단이다. 서울시에서 지원하고 있으며, 자치구가 협력해야 하는 구조로 짜였다. 시민협력플랫폼의 임무는 민간 분야의 독자적인 힘을 강화하기 위해 '포괄적 네트워크'를 형성해야 하는 것이다. 즉, 협치를 위한 민간 파트너십은 민간 영역에서 독자적으로 형성되어야 하고, 행정의 간섭과 통제로부터 자유로워야 한다. 지역의 민간 공론장을 형성하고 그것을 중심으로 주민들의 다양한 의제들이 논의되고 그것이 행정과의 협치 주제로 선정될 수 있도록 조직해야 한다. 결국은 그동안 마포 지역에서 진행되어 왔던 민간 활동의 역사와 경험이 최종적으로 행정과의 협치를 실행하는 단계로까지 발전되어야 할 것이다.

오래된 미래는
없다

'마을 공동체'가 우리 사회를 변화시킬 수 있는 진정한 대안이 될까? 공동체는 순수하고 아름다운 것일까? 마을이 '오래된 미래'인가? 지속가능성, '오래된 미래'가 주는 가치는 매우 소중하고 발전시켜야 할 것임은 분명하다. 그러나 이를 마을 공동체 활동으로 연결시키는 그 지점에서 낭만과 환상이 발생한다. 활동의 엄밀성과 전략적 접근이라는 관점이 사라지고, 소박함과 윤리적 태도의 문제로 협소하게 규정되고 만다. 오히려 인간 사회의 조직이 어떻게 발전하는지, 하나의 사회가 어떻게 변하는지, 아니면 어떻게 변화시킬 것인지의 문제에 초점을 맞추어야 할 것이다. 이것은 거대한 프로젝트이면서도 대단히 복잡한 사안이다.

'오래된 미래' 담론은 운동 초기에 최소한의 주체를 형성할 단계에서는 굉장히 강한 인상과 결집력을 발휘할 수도 있었다. 그러나 이것이 사회적인 영향력을 끼치는 커다란 흐름으로 조성되는 순간 이야기는 달라진다. 사회 운동은 그렇게 간단한 게 아니다. 우리에게는 윤리적 가치를 뛰어넘는 '도시사회학'이 필요하다. 각 지역에서의 활동에 대해 분석하고, 도시 주민을 분석해야 하며, 도시의 공간과 '장소성'에 대해 생각해야 한다. 마을은 정주성을 가지고 있는 사회적 관계망이 아니라, 장소성을 형성하는 근본 동인으로서의 사회적 관계망과 그 세력에 대해 접근해야 한다. '마을'이라는 낱말이 가지는 목가적이고 낭만적 상징으로부터 벗어나야 한다. 즉, 막연한 '주민'이 아니라 사회적 관계망을 형성하고 있는 구체적인 '주체들'에 대해 주목해야 한다. 그래서 도시민 일반의 존재 조건과 생활양식에 대한 판단과 연구에서 지역 활동의 전략을 다시 짜야 한다.

공병각

1967년생. 2009년 아이를 성미산학교에 입학시키면서 성미산마을로 이사를 왔다. 2014년에 성미산학교 학교운영위원장을 맡았고, 2015~2017년 사람과마을 운영위원장을 맡고 있다. 운영위원장이란 성미산마을의 실질적인 대표이다. 그가 운영위원장을 맡았던 2015년에는 마을의 일부 주민들이 앞장서서 세월호 관련 캠페인을 전개하고 있었다. 또한 2010년에 진행되었던 제2차 성미산 지키기 운동과 관련한 홍익재단과의 소송전에서 패소하였고, 관련자들 몇 사람은 벌금형을 받았다. 전반적으로 마을의 분위기는 가라앉아 있었고 피로도가 증대되었다. 거기다가 작은나무 카페의 건물주가 바뀌면서 카페를 비워달라는 요구를 받고 있었다. 이 문제는 대단히 중요한 사안이어서 마포구 마을생태계 조성사업단이 주최하는 '마포 지역 포럼'을 통해 이를 성미산마을 젠트리피케이션 현상으로 부각했다. 2016년에는 서울시에서 지원하는 마을활력소를 조성하는 일에 주력했다. 2017년에는 성미산마을축제를 성공시켰다. 축제 퍼레이드를 통해 여러 어린이집을 중심으로 마을의 새로운 세대의 참여를 증대시켰고 활력을 불어넣었다. 축제 이름을 '되살림축제'로 사용하면서 그동안 성미산학교에서 주도했던 '에너지자립마을' 활동[60]을 마을 전체로 확대시키는 계기를 마련했다. 성미산마을의 기본 단위인 여러 커뮤니티의 규모가 작았을 때는 상호 연결과 결집도가 높았으나, 이제 개별 커뮤니티들의 몸집과 활동력이 커지자 내부의 고민과 활동에 치중하는 현상이 발생하였다. 마을을 형성하는 데 결정적인 역할을 했던 '울림두레생협'의 경우 생협 내부 운영에 집중하면서 마을로의 연결이 약화된 것이다. 특히 성미산마을 전체가 어린이집과 대안학교 중심으로 운영되면서 여전히 30~40대 가족 중심 문화에서 크게 벗어나지 못한 점을 고민하고 있다. 공병각은 세대별 문화적 격차가 점차 커지고 있음을 느낀다. 그가 느끼는 성미산마을의 현재적 고민은 새로운 구성원들이 자신의 '욕망'을 찾아내고 그것을 어떻게 마을 전체의 새로운 활력으로 변화시킬지에 대한 것이다.

최수진

1972년생. 작은나무협동조합 운영위원장. 동작구 상도동에 있는 공동육아 어린이집에 아이를 보내다가 2010년 2월, 큰아이를 성미산학교에 입학시키면서 이사를 하였다. 처음부터 마을살이에 관심이 많았다. 2010년 초에 '성미산밥상' 준비팀에 합류하면서 마을에 대단히 빠르게 합류할 수 있었다. 제2차 성미산 지키기 운동에 적극 동참했고, 2011년 5월부터 작은나무 카페에서 일하기 시작했다. 마을살이의 가장 큰 장점은 개인이나 몇 사람이 하고 싶은 일이 있으면 뭐든지 할 수 있다는 점이다. 반대로 여러 가지 갈등을 직간접적으로 겪게 되면서 관계 맺기의 어려움을 알게 되었다. 또한 마을의 일을 하면서 책임을 진다는 것의 소중함도 알았다. 2013년 작은나무 카페를 협동조합으로 정식 등록하였다. 그리고 2015년부터 작은나무 건물주가 바뀌었고, 임대 기간 연장을 하지 않겠다고 하자 이를 지키기 위해 분투하였다. 마포구 마을생태계 조성사업단에서 주최하는 마포 지역 포럼에서 작은나무 사례를 들어 마을 공동체에서 젠트리피케이션이 발생하는 현상을 집중적으로 제기하였다.

최수진이 생각하는 마을과 마을살이는 사실 당사자 개인들의 지극히 개인적인 욕구로부터 시작하는 것이 크다는 점이다. 사회적으로 공공적인 가치를 추구하는 데에 우선순위가 있지 않고, 개인적이거나 개별적 집단의 욕망이 더 우선적이라는 것이다. 자신들의 지극히 사소하거나 구체적인 욕망으로부터 출발하기 때문에 활발하다. 그런데 곧바로 발생하는 또 다른 문제는 그러한 욕망이 실현되면 이제 더 나아가려고 하지 않는다는 것이다. 즉, 추가 확장성이 별로 없다. 새로운 삶의 방식과 가치를 추구하는 데에까지 이르지 않기 때문에 마을의 아이들도 마음속에는 다소 불안감을 가지고 있다. 결국 내 생활을 변화하지 않겠다고 하는데 마을이 변할까? 내가 그렇게 살지 않는데 다음 후배들에게 '이렇게 하면 이렇게 변할 거야.'를 제시할 수가 없다. 이 지점에 대한 최수진의 고민은 마을 공동체 활동의 근본적인 질문이다.

직장과 자녀를 가진 30대 여성들이 있었다. 그들은 공동육아에 대한 공동의 '욕망'이 있었고 협동조합을 통해 그것을 실현했다. 자녀를 공동으로 보육하는 것은 상당한 시간이 필요하기 때문에 이들 사이의 관계망은 그 시기 동안은 최소한 지속되었다. 그러면서 그들 사이의 독특한 문화를 형성했고 관계 속에서 나름 평안하였다. 그들 중에서 어떤 이는 이러한 관계가 가지고 있는 사회적 가치를 발견하고 이를 지속시키고자 했고, 그러기 위해서는 지역 사회와의 연결을 강화해야 한다고 주장했다. 그러한 생각은 결과적으로 성공했다. 그러나 어떤 이는 초기의 기본 욕망이 어느 정도 충족되자 그냥 그 수준에서 안주하거나 다른 곳으로 옮겨갔다. 이것이 최소단위 커뮤니티가 형성되고 유지되는 모습이다.

　이 커뮤니티가 마을적 수준을 가진 복잡한 네트워크로 발전하려면 '포괄적 관계망'이 필요하다. 성미산마을에서는 그러한 역할을 생협이 수행했으며, '5개 협동조합 협의회'라는 공식적 주체 단위를 형성하는 것으로 구체화되었다. 성미산 개발 반대 운동은 그야말로 우연한 사건이었다. 그러나 협동조합 협의회라는 포괄적 네트워크가 형성되자 지역 사회에서 발생한 이러한 사건에 적극 개입할 수 있었다. 이 과정에서 김종호(당시 성미산대책위 대표)라는 인물이 핵심적 역할을 담당함으로써 사건에 대한 집단적 대응력이 비약적으로 커졌다. 성미산을 둘러싼 강력한 공동 경험은 구성원 개개인에게 깊은 인상을 남겼고, 공동의 기억과 자산이 되었으며, 지속적으로 재현이 가능한 결정적 상징이 되었다. 이것이 각각 1장과 2장의 핵심 내용이다. 4장에서 다루는 성미산마을축제는 이 상징을 어떻게 다루는지를 설명하고 있다.

3장에서 다루는 성미산학교 설립 과정에 대한 내용은 커뮤니티 자체의 형성과 발전을 통해서 조직 일반론을 설명하고자 했다. 형식적 절차와 과정이 왜 중요한지, 특히 다양한 생각들이 서로 충돌하는 상황에서 이를 어떻게 다루어야 하는지를 말하고 있다. 갈등은 해소되는 게 아니라 단지 관리될 뿐이며, 조직은 '항상적 갈등체' 그 자체이다. 개인이 삶 속에서 내면에서는 끊임없이 갈등하고 고통스러워하는 것처럼 집단도 마찬가지라는 것이다. 개인은 그러한 내면의 고통을 다루기 위해서 명상을 하거나 기도를 하고, 술을 마시거나 대화를 하거나 여행을 한다. 집단은 논쟁을 하고 공동의 경험을 기록하며 그것을 상징으로 전환시키고 결국 하나의 정체성을 만들어낸다.

정치는 공동의 이해를 실현하고자 하는 집단적 대응이다. 그러나 집단 내부에서만 통용되는 게 아니라 '지역 사회'라는 무척 이질적인 집단들 사이의 관계를 설정하는 문제이다. 이때는 공공적인 용어와 개념이 필요하다. 즉, 각각 세력들 사이의 '역학(力學)'을 생각해야 하고, 자신의 생각과 언어를 공공적인 것으로 바꾸어서 표현할 줄 알아야 한다. 5장에서 다루는 '주민 후보'의 경험에 대한 부분이다.

마지막으로 이러한 공공성에 대한 내용이 정치라는 영역에서만 발생하는 게 아니라 성미산마을 네트워크 안에서도 발생하고 있다는 측면을 언급하고 있다. 초기와 현재의 모습, 자발적 활동과 전업적 활동의 차이, 마을 정체성을 어떻게 관리할 것인지 등과 관련되어 있다. 또한 마포 지역 전체 차원에서 마을 공동체 활동을 어떻게 바라봐야 하는지를 마포자생단 활동의 경험을 통해 설명하였다.

이것 이외에 더 다루고 싶은 여러 주제들이 있다. 개인의 생각은 어떻게 변화하는가에 대한 주제라든지, 지극히 한국적이며 낭만적인 뉘앙스를 가진 '마을'이라는 낱말의 한계를 벗어나서 사회학적인 의미 부여가 필요하다라든지, 더 근본적으로는 거대담론에 대한 고민 등등이다. 우리는 흔히 '주민의 등장과 성장'을 이야기한다. 그것은 지역

사회에서 새로운 주민 주체를 형성하는 게 중요하다는 생각을 바탕에 깔고 있다. 그러나 이에 대한 아주 구체적인 지점에서의 논의가 이루어지고 있지는 못하다.

성미산마을의 경험을 사회학적으로 분석하고 거기서 형성되는 쟁점에 대해 논의했으면 좋겠다. 성미산마을은 우리 사회의 진정한 대안이라는 식으로 신비화하거나, 성미산마을의 부분적 경험을 가지고 이를 도식화하여 설명하는 억지 논리에 대해서는 전혀 반갑지가 않다. 성미산마을은 분석의 대상이 되어야 하며, 추종의 대상이 되어서는 안 될 것이다.

각주

1   유창복, 『우리 마을에서 논다』, 또하나의문화, 2010.

      윤태근, 『성미산마을 사람들』, 북노마드, 2011.

      위성남, 「마을하기, 성미산마을의 역사와 생각」, 국토연구원, 2013.

      성미산학교, 『마을학교—성미산학교의 마을만들기』, 교육공동체벗, 2016.

2   이은희, 「후기 근대 지역공동체의 성찰적 동학」, 이화여자대학교대학원, 2008.

3   강석필, 『춤추는 숲』(DVD), 케이디미디어, 2013.

4   신촌 우리어린이집 창립 멤버이면서 도토리방과후를 주도했고 공동육아의 산증인이다. 2014년부터 (사)공동육아와공동체교육 사무총장을 맡고 있다. 별칭은 '올리브'이다.

5   공동육아 협동조합에서는 어린이집의 공간을 '터전'이라 부른다.

6   임우연, 「공동육아 협동조합의 부모 참여 과정에 관한 연구」, 이화여대 대학원 석사 논문, 1995.

7   이러한 협동조합 어린이집의 설립과 운영 방식은 이후 전형이 되었으며, 이곳에서 마련된 여러 세부 방안들을 다른 협동조합 어린이집에서 많이 참조하였다. 예를 들면 1994년 12월부터 시행한 가구 소득에 따른 '보육료 차등제' 등이 대표적이다.

8   출자금은 협동조합의 목적을 실현하기 위해 조성하는 자본금이다. 조합을 탈퇴하면 이 출자금을 반환받으나, 이자는 없다. 출자 금액은 각 협동조합의 상황에 따라 모두 다르다.

9   (사)공동육아와공동체교육 공동대표, 일리노이대학교 어버너샴페인교대학원 인류학 박사, 한양대학교 국제문화대학 문화인류학 교수. 해송의 역사는 정병호의 다음의 책에 잘 서술되어 있다. 『또 하나의 문화, 제10호 : 내가 살고 싶은 세상』, 또하나의문화, 1994.

10   "어린이집 개원식, 이순자 여사 참석", 『동아일보』, 1981년 10월 30일.

11   1982년 제5공화국은 '새마을 유아원법(모든 유아 교육기관을 유치원과 새마을유아원으로 이원화하는 법)'을 제정하여 다양한 형태의 어린이집과 탁아소를 제도권으로 편입시켜 그 독자성을 박탈한다.

12   김미아, 「절망 속에서 피어나는 희망」, 『함께 크는 삶의 시작 공동육아』, 또하나의문화, 2006, p.191.

13   정병호와 이기범은 함께 일리노이대학교 어버너샴페인캠퍼스 대학원에 다녔고, 각각 박사 학위를 받았다. 권혜영, 권용철 남매의 사망 사건을 계기로 이들은 귀국하였고 새로운 보육 운동을 적극 모색하기 시작했다.

14 "경비원 아빠 파출부 엄마 일 나간 새 불. 잠긴 지하셋방 남매 질식사", 「한겨레신문」, 1990년 3월 10일.

15 1989년 평화민주당은 저소득층 탁아 요구를 사회복지 차원에서 정착시키겠다는 취지로 '탁아복지법(안)'을 발의하였다.

16 1990년 11월 21일에 당시 여당인 민주자유당에서는 '영유아보육법(안)'을 발의했다. 이에 대한 사회적 반대 여론이 많았으나, 12월 14일 국회 보사위원회에 민주자유당 찬성만으로 날치기 통과되었다.

17 2017년 현재 협동조합 어린이집이 69개, 위탁형 어린이집이 8개로 총 77개의 공동육아 어린이집이 전국에서 운영되고 있다. 초등학생을 대상으로 방과후협동조합 17개, 지역아동센터 8개, 대안학교 1개까지 총 26개의 시설이 운영되는 등 모두 합치면 103개이다.

18 「도토리 관계자료 모음(1996. 6–2000. 12)」, 2000년 12월에 이경란이 작성한 자료 모음집이다.

19 「어린이집과 지역 방과후의 관계에 대한 시안」, 도토리방과후, 1998. 9.

20 공동육아 어린이집에서는 부모(조합원)가 참여하는 여러 소위원회가 있다. 우리어린이집에서는 부모들의 '교육위원회'를 '교육조'라 불렀다.

21 「도토리 관계자료 모음(1996. 6–2000. 12)」의 '1996년 2월 23일 교육조 모임' 회의 자료 중에서

22 위의 자료.

23 당시 우리어린이집의 규정에는 10세까지, 즉 초등학교 3학년 아이들까지 보육하는 것으로 되어 있었다.

24 이경란, 「생활문화 운동으로서의 학부모 운동」, 2000. 11.

25 어떤 이는 5월 5일 어린이날에 힘들게 놀이공원에 가서 파김치가 되지 말고, 그냥 동네에서 놀 수 있는 자리를 만들어보자는 게 최초의 취지였다고 주장하기도 한다.

26 성미산(마포구 성산1동 소재)은 원래 이름인 '성산(城山)'에서 유래했다. 성산의 한글 이름은 '성뫼'인데 이것이 '성뫼' → '성메산' → '성미산'으로 주민들이 편하게 부르면서 '성미산'으로 널리 불리고 있다. 그러나 행정 지명은 여전히 '성산(城山)'으로 되어 있다. 높이는 해발 71.5m이다. '성미산'은 원래 성산2동까지 연결된 큰 산이었으나 일제강점기에 홍제천 직강 공사를 통해 산을 중간에서 절개했고, 성산1동 쪽 산을 '성미산', 성산2동 쪽 산을 '새터

산'으로 불렀다. 또한 성산동은 행정구역의 여러 변천을 겪은 뒤에 1975년에 마포구 성산동으로 최종 조정되었고, 지금에 이르고 있다.

27 1961년생. 대학 4학년부터 생협 운동을 해왔으며, 마포두레생협 초대 이사장을 맡았다. 이후 우리어린이집 이사장을 맡았고, 2006년에 성미산대동계를 만들었으며, 2008년부터는 ㈜소통이있어행복한주택(약칭 소행주)을 만들어 공동주택 사업을 본격적으로 진행했다. 별칭은 '박장'이다.

28 유창복, 『우린 마을에서 논다』, 또하나의문화, 2010.

29 마포두레생협은 2001년 2월 창립 총회를 개최하였다. 초기 조합원은 150명 정도였고, 출자 총액은 약 900만 원이었다. 2003년 2월, '생협법'에 근거해서 정식으로 법인 전환하였다. 2003년 9월에 매장(성산점)을 처음으로 열었다. 2017년 현재 중랑구(신내점), 서대문구(북가좌점), 마포구 동부 지역(용강점)에 각각 매장이 있고, 성산점까지 모두 네 개의 매장이 있다. 조합원은 1만 명을 넘어섰고, 연간 매출 또한 100억 원대에 다다랐다.

30 오늘날 행정기관에서 사용하는 '마을기업'의 용어는 여기에서 유래했다고 보고 있다. 성미산마을에서는 지역 커뮤니티를 기반으로 만들고 운영하는 작은 가게 정도의 의미로 사용했다.

31 '국토의계획및이용에관한법률'에 따른 '지구단위계획'이란 도시·군 계획 수립 대상 지역의 일부에 대하여 토지 이용을 합리화하고 그 기능을 증진시키며 미관을 개선하고 양호한 환경을 확보하며, 그 지역을 체계적·계획적으로 관리하기 위하여 수립하는 도시·군 관리 계획을 말한다. 즉, '해당 지역 및 인근 지역의 토지 이용을 고려한 토지 이용 계획과 건축 계획의 조화'를 말하는데, 이는 법률적 개념으로 실제로는 아파트 건립을 허가한다는 내용이다.

32 배수지(配水池)란 급수량을 조절하기 위해 정수지 등의 물을 일시적으로 저수하는 연못을 이르는데, 행정 용어로는 수돗물의 원활한 공급이나 공급 수압을 높이기 위해 설치하는 일종의 물탱크 시설을 의미한다. '성산 배수지' 건설 계획은 1993년도부터 진행되었던 것으로, 1997년 12월에 '성미산 도시계획 실시계획'이 인가를 받으면서 구체화되었는데 그것이 배수지 건설 계획이었다. 이 배수지는 인구 증가와 수도관 노후화에 따른 수돗물 공급을 더 원활하게 하겠다는 취지였다. 그러나 실제로는 인구가 당시보다 소폭 감소했고, 1인당 물 사용량 또한 감소 추세였으며, 수도관은 이미 교체하여 수돗물 공급에 아무런 문

제가 없는 상태였다. 즉, 수돗물의 수요 예측을 잘못한 채 배수지 추가 건설만 계속 시행했던 것이다.

33 성미산 중심부지는 서울 시유지였고, 주변부는 사유지였는데, 이 중 한양재단 소유가 대부분이었다. 배수지가 건립되면 산림 훼손이 불가피할뿐더러 한양재단이 자기 소유의 부지 개발이 용이해지기 때문에, 재단은 그 점을 이용해 아파트를 지어 재미를 보려는 것 아니냐는 의심을 받기에 충분했다.

34 1998년 7월에 자연생태 보전운동을 전문적이고 지속적으로 펼쳐나가기 위해 창립한 시민단체이다. 2001년 당시 생활 주변 동네 산 살리기 프로그램을 진행하고 있었다.(www.ecoclub.or.kr)

35 "성미산지킴이, 시장과 면담하다", 『오마이뉴스』, 2003년 3월 14일.

36 송덕호, 『우리 산이야』, 다큐 영상, 35분, 2003년(요약본 바로가기: http://bit.ly/2tu9jeN).

37 이 낱말은 마을 조직론의 첫 단계를 규정한다. 개인의 머릿속에 있던 아이디어가 사람들에게 공개되고 그에 반응을 보인 첫 번째 집단으로 보면 된다.

38 이 말은 발도르프 학교 자체가 공허하다는 게 아니라, 준비를 전혀 갖추지 못한 상태였고 구성원 사이에 합의도 되지 않았다는 점에서 공허하다는 뜻이다.

39 유창복, 「우리 마을에서 함께 학교를 만들 교사를 찾습니다」, 『민들레』, 2003년 7–8월호. 성미산마을의 역사와 현황을 소개하고, 이곳에서 주민 주도로 대안학교를 만들려고 하는데, 관심 있는 교사들이 함께했으면 좋겠다는 내용이었다.

40 실제로는 38억 원 이상이 소요되었다.

41 이러한 생각에 근거가 없는 게 아니었다. '공유지식' 형성이라는 개념으로 볼 때 지극히 합당하다고 볼 수 있다. 마이클 S. 최의 『사람들은 어떻게 광장에 모이는 것일까?』(후마니타스, 2014) 참고.

42 제4회 축제는 2004년 5월 23일에 '마포야, 놀자!'라는 제목으로 상암동 난지천공원에서 진행했다. 이곳은 성미산 지역에서 약 3km 떨어진 곳이다. 제5회 축제는 2005년 5월 15일에 한강시민공원에서 진행했으며, 제6회 축제는 2006년 5월 13일에 성서초등학교와 한강시민공원에서 진행했다. 한강시민공원은 성미산으로부터 약 1.5km 되는 거리이다.

43 2006년 12월 14일 '마을 축제 6년 돌아보기와 내딛기'라는 제목으로 성미산학교에서 토론회가 열렸다. 이날 유창복은 「마을문화 만들기—마을 축제, 그 일상성의 확보와 상징성의

회복」이라는 토론문을 발표했다.

44 환경청의 사무처장을 거쳐 시민사회단체연대회의 운영위원장, 서울시 시설공단 이사장을 역임했다.

45 마을 극장의 재정난은 매해 심해졌다. 이를 극복하기 위해 2014년에 협동조합으로 전환하여 새로운 출자를 조직하였다. 이 과정을 김우(느리)가 주도하였다.

46 "도심 공동체 '성미산마을' 지방선거 주민 후보 낸다", 『경향신문』, 2010년 1월 27일.

47 "옥상 위 정치살롱", 『시사IN』 162호, 2010년 10월 25일.

48 제2차 싸움 현장은 이창환(쟁이)과 문치웅(웅이)이 끈질기게 이끌고 갔다. 전쟁터 같은 성미산 농성 현장과 평화로운 일상의 마을 골목길 풍경을 매일 경험한다는 것은 매우 큰 스트레스이다. 이창환은 2003년 때보다 몇 배나 더 어렵고 험악한 과정을 무려 6개월 이상 견뎌냈다.

49 안내팀은 백종주(샨티, 2010〜2013년까지 팀장), 박미라(사슴, 2013〜2016년까지 팀장), 정성우(노란코끼리, 2017년부터 팀장)가 책임을 맡고 있다.

50 2016년의 연인원은 4,000명이 넘었다.

51 마을의 몇몇 여성들은 세월호 관련 캠페인과 지원을 3년 이상 지속하고 있다. 그 중심에 박은경(타잔)과 김우가 있다.

52 "박원순 '제2성미산' 15곳 만든다", 『한겨레신문』, 2011년 11월 3일.

53 유창복, 『우린 마을에서 논다』, 또하나의문화, 2010.

54 서울특별시 마을공동체담당관실, 『〜2013 서울시 마을공동체 백서:서울 · 삶 · 사람』, 2014, 18p.

55 위의 책, 18p.

56 "주민이 만든 마을에서 주민이 떠난다… 마을 만들기의 적(敵) 젠트리피케이션", 『경향신문』, 2015년 4월 24일.

57 "서울시 뜨는 동네 젠트리피케이션 방지 위해 자산화 본격 추진", 『경향신문』, 2015년 11월 23일.

58 "좌파 양성소 의혹 성미산마을에 가보니, 그곳은 서울시의 섬이 돼 가고 있다!", 『월간조선』, 2013년 8월호.

59 국가공무원 복무규정의 제3조 1항에는 다음과 같은 조항이 있다. "제3조(근무기강의 확립)

① 공무원은 법령과 직무상 명령을 준수하여 근무기강을 확립하고 질서를 존중하여야 한다." 이것은 '상명하복'을 의미하며, 만약 이를 어겼을 시 징계 사유에 해당한다. 공무원들이 가지는 독특한 태도와 문화는 바로 '국가공무원 복무규정'에서 비롯된다고 본다. 상명하복, 비밀 엄수, 복장 단정, 정치 행위 금지 등 세부사항 모두가 이 복무규정에 명시되어 있다.

60 성미산학교에서는 조승연(꽃다지)이 이 프로젝트를 담당하고 있다. 몇 년 동안 진행되고 있는 이 주제는 성미산마을로 확산되는 데에는 뚜렷한 성과가 나지 않고 있다. 이에 대해 고민이 많다.

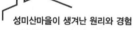

성미산마을이 생겨난 원리와 경험

마을은 처음이라서

초판 1쇄 2018년 2월 7일
지은이 위성남
펴낸이 권경미
펴낸곳 도서출판 책숲
출판등록 제2011-000083호
주소 서울시 용산구 후암동 8
전화 070-8702-3368
팩스 02-318-1125

ISBN 979-11-86342-15-2 03300

이 도서의 국립중앙도서관 출판시도서목록(CIP)은 서지정보유통지원시스템
홈페이지(http://seoji.nl.go.kr)와 국가자료공동목록시스템(http://www.nl.go.kr/kolisnet)에서
이용하실 수 있습니다.(CIP제어번호: CIP2018001491)

*값은 뒤표지에 있습니다.
*잘못 만든 책은 구입하신 서점에서 바꾸어 드립니다.